MELHORES
POEMAS

Machado de Assis

Direção
EDLA VAN STEEN

MELHORES
POEMAS

Machado de Assis

Seleção de
ALEXEI BUENO

© Global Editora, 2000

1ª Edição, Global Editora, São Paulo 2000
2ª Reimpressão, 2010

Diretor-Editorial
Jefferson L. Alves

Gerente de Produção
Flávio Samuel

Coordenadora-Editorial
Dida Bessana

Assistente-Editorial
João Reynaldo de Paiva

Revisão
Rita de Cássia M. Lopes
Iraci Miyuki Kishi

Projeto de Capa
Victor Burton

Editoração Eletrônica
Neili Dal Rovere

Dados Internacionais de Catalogação na Publicação (CIP)
(Câmara Brasileira do Livro, SP, Brasil)

Assis, Machado de, 1839-1908
  Melhores poemas Machado de Assis / seleção Alexei Bueno. – São Paulo : Global, 2000. – (Coleção Melhores Poemas ; 39)

  Bibliografia.
  ISBN 978-85-260-0608-9

  1. Poesia brasileira I. Bueno, Alexei, 1963- II. Título. III. Série.

00-0928   CDD-869.91

Índice para catálogo sistemático:

1. Poesia : Literatura brasileira   869.91

Direitos Reservados

Global Editora e Distribuidora Ltda.

Rua Pirapitingui, 111 – Liberdade
CEP 01508-020 – São Paulo – SP
Tel.: (11) 3277-7999 – Fax: (11) 3277-8141
e-mail: global@globaleditora.com.br
www.globaleditora.com.br

Obra atualizada conforme o **Novo Acordo Ortográfico da Língua Portuguesa**

Colabore com a produção científica e cultural.
Proibida a reprodução total ou parcial desta obra sem a autorização dos editores.

Nº de Catálogo: **2092**

Alexei Bueno nasceu no Rio de Janeiro, em 26 de abril de 1963. Publicou, entre outros livros, *As escadas da torre*, 1984; *Poemas gregos*, 1985; *Nuctemeron*, 1986; *A decomposição de J. S. Bach e outros poemas*, 1989; *Magnificat*, 1990; *O Aleijadinho*, roteiro cinematográfico, 1991; *A chama inextinguível*, 1992; *Lucernário*, 1993; *A via estreita*, 1995; *A juventude dos deuses*, 1996; *Entusiasmo*, 1997, *Poemas reunidos*, 1998; *Em sonho*, 1999. Como editor da Nova Aguilar, organizou a *Obra completa* de Augusto dos Anjos, 1994, a *Obra completa* de Mário de Sá-Carneiro, 1995, a atualização da *Obra completa* de Cruz e Sousa, 1995, a *Obra reunida* de Olavo Bilac, 1996, a *Poesia completa,* de Jorge de Lima e a *Obra completa* de Almada Negreiros, 1997. Publicou também, pela Nova Fronteira, *Grandes poemas do Romantismo brasileiro*, 1994, e uma edição comentada de *Os Lusíadas*, 1996. Traduziu *As quimeras,* de Gérard de Nerval, editado pela Topbooks, também com edição portuguesa.

MACHADO POETA

Tradicionalmente, e como não poderia deixar de acontecer, a prosa de ficção, cerne da imensa obra de polígrafo de Machado de Assis, relegou a segundo plano – com maior ou menor razão em cada caso – os outros gêneros cultivados pelo mestre carioca. Se na crônica nunca lhe foi negada a importância histórica e a mestria estilística, se na crítica sempre se lhe reconheceram certas brilhantes antecipações e um inalterado bom senso, com um mínimo de idiossincrasias, se no teatro o grande escritor parece haver-se restringido a um tom menor, que foi quase sempre o registro do gênero – em comparação com os outros –, dentro da literatura brasileira, na poesia que cultivou, como de costume, antes de todos os outros, e que nunca abandonou até o final da vida, erigiu-se a arena de opiniões ligeiras ou deformadas, às vezes violentamente contraditórias, quanto aos verdadeiros merecimentos líricos do mestre do Cosme Velho.

De fato, perante as três inegáveis obras-primas romanescas, *Memórias póstumas de Brás Cubas*, *Quincas Borba* e *Dom Casmurro*, perante uma quase meia centena de novelas ou contos que fazem de seu autor, sem disputa, o maior contista da língua portuguesa – e um dos maiores de qualquer língua – e com a superioridade evidente, no gênero lírico, de outros nomes contemporâneos, bastando citar os de Gonçalves Dias e Castro Alves, a questão do Machado de Assis poeta sempre permaneceu das mais controversas, com o agravante de o autor de *Helena* ter sido, coisa rara em quase todas as literaturas, um poeta de evolução lenta, um poeta que, inequivocamente, escreveu na plena maturidade ou mesmo na velhice seus melhores poemas. Em um país onde, antes do Modernismo, o exercício lírico mais parecia uma corrida contra a sepultura – lembremos as mortes de Gonçalves Dias aos quarenta, e tendo aos vinte e oito publicado seu maior livro, os *Últimos cantos*; a de Álvares de Azevedo aos vinte, a de Casimiro de Abreu aos vinte e um, a de Junqueira Freire aos vinte e três, a de Castro Alves aos vinte e quatro, a de Fagundes Varela aos trinta e três, a de Cruz e Sousa, outro poeta de evolução lenta mas fulminante, aos trinta e seis, a de Augusto dos Anjos, no apogeu das forças criadoras, aos trinta, a de um Raul de Leoni aos trinta e um, entre tantos outros –, ainda mais estranheza causaria a grande floração madura, a das *Ocidentais*, no mestre do *Memorial de Aires*, que se coloca assim, mal comparando, na pequena sociedade dos poetas essencialmente da maturidade, um Valéry, um Caváfis, e muito poucos outros.

De fato, é em 1901, aos 62 anos, que Machado publica as suas *Poesias completas*, com um impiedoso corte nos livros anteriores: *Crisálidas*, de 1864, *Falenas*, de 1870 e *Americanas*, de 1875, aos quais acrescenta um quarto livro, que nunca terá edição independente, batizado de *Ocidentais*, onde se encontram sem dúvida alguns de seus maiores poemas. Nessa edição – composta em Paris, como de hábito nas edições

Garnier, e célebre pela horrenda gralha do seu prefácio, o famoso "cegara o juízo" com o *e* da primeira palavra trocado por um *a* –, o autor de "O alienista" dava ao público a sua imagem final de poeta, à qual faltaria acrescentar, qualitativamente, a admirável série de quatorze sonetos sobre o Marquês de Pombal intitulados "A derradeira injúria", quatorze sonetos formalmente nunca repetidos e publicados em Lisboa dezesseis anos antes, e que talvez pelo específico do tema o escritor não cogitara em recolher, bem como o celebérrimo soneto "A Carolina", que só viria à luz cinco anos depois, na abertura de *Relíquias de casa velha*, como homenagem à recém-falecida companheira de toda uma existência.

Na edição de 1901, de fato, e como índice da autocrítica de Machado, vemos que os poemas de *Crisálidas*, dos 28 da primeira edição, reduzem-se a 12, sem contar um trecho expurgado aos "Versos a Corina". Dos 28 das *Falenas*, restam 19, isso contando-se as traduções chinesas sob o título de "Lira chinesa" como um número único. Nas *Americanas*, no entanto, apenas um poema, "Cantiga do rosto branco" é retirado do conjunto de 13, na maior parte longos, e onde se sente, como nunca antes, o influxo do poeta de *Os Timbiras*. Após esses cortes, muitos dos quais, é preciso lembrar, consistem em traduções, surgem finalmente os 30 títulos das *Ocidentais*, onde entre as traduções de "O corvo", de Poe, que ficou célebre, e outras de Shakespeare, Dante e La Fontaine – todas as coletâneas de Machado, com a exceção de *Americanas*, traziam traduções –, aparecem os mais admirados poemas de Machado de Assis: "O desfecho", "Círculo vicioso", "Uma criatura", "A Artur de Oliveira, enfermo", "Mundo interior", "*Suave mari magno*", "A mosca azul", "Antônio José", "Spinoza", "Gonçalves Crespo", "Alencar", os quatro sonetos a "Camões" (talvez os mais belos já escritos sobre o maior poeta da língua), "Soneto de Natal", "A Felício dos Santos", "A uma senhora que me pediu versos" e "No alto". A tudo isso se acrescentava, sob o título de "Velho fragmento", algumas estrofes do poema herói-cômico "O Almada", como uma lembrança melancólica de uma graça já perdida.

Dentre todos esses poemas, inegavelmente dois foram os que mais atingiram o público, sem contarmos a tradução de Poe: "Círculo vicioso" e "A mosca azul". Para além da farta riqueza lexical, muito admirada na época, com traços orientalizantes no segundo, eram dos poemas mais trabalhados, dos que mais se aproximavam de um ideal de escrita parnasiana e, acima de tudo, eram típicos poemas "com mensagem", uma lição ao gosto dos quadros da pintura *pompier* da época: no caso do primeiro poema, uma demonstração da eterna insatisfação humana através de figuras da natureza; no caso do segundo, a capacidade destruidora da análise perante toda ilusão humana. Mas não eram nesses poemas que se encontrava o máximo do poeta.

No panorama da poesia brasileira daquele momento, *Ocidentais* aparecia como um livro de uma gravidade, uma maturidade melancólica, um extremo individualismo sabiamente dissimulado, um pessimismo plácido – já entrevisto em um poema como "A flor do embiruçu", em *Americanas* –, que seguramente o igualava ou mesmo o punha acima, para quem o soubesse ver, a alguns dos títulos – mais ou menos contemporâneos – de um Bilac, de um Raimundo Correia, de um Alberto de Oliveira, de um Vicente de Carvalho. No mesmo ano, já morto Cruz e Sousa, viria à luz *Faróis*, livros genial, ao qual se seguiria o ainda superior *Últimos sonetos*. Mas Cruz e Sousa, sobre a morte do qual Machado não emitira uma única palavra, era assunto de seus admiradores chefiados por Nestor Vítor, enquanto o jovem Alphonsus de Guimaraens se mantinha escondido entre as montanhas mineiras. Esse era o panorama, e nele apareceu, discretamente, o grande, e realmente grande numa pequena obra, poeta Machado de Assis.

Com um domínio absoluto da forma, desde muito conseguido, distanciado quase totalmente da temática amorosa que ainda dominava fortemente um Bilac e um Alberto de Oliveira – mas com menos insistência no pessimista e neurastênico Raimundo Correia, e no mais filosófico Vicente de Carvalho, ao mesmo tempo que avassalava a produção gigantesca de um Luís Delfino – o Machado das *Ocidentais* aparecia como um estoico *sui generis*, melancólico sutil mas não descrente na glória através da grandeza humana, como comprovamos pelos não poucos poemas encomiásticos ali encontrados, a Antônio José, o Judeu, a Spinoza, a Gonçalves Crespo, a Alencar, a Camões e Pombal nas mencionadas séries de sonetos, a Victor Hugo, de quem traduzira anonimamente *Os trabalhadores do mar*, em "1802-1885", a Anchieta, longa galeria que se inicia em poemas de livros anteriores, como nas odes a José Bonifácio e Gonçalves Dias nas *Americanas*.

O arrebatamento político, este parece ter passado de todo, tendo deixado como documentos o "Epitáfio do México", poema muitas vezes reeditado, "Polônia" ou, entre os poemas não reproduzidos em livro, "A cólera do Império" e o furioso "Hino patriótico", composto durante a Questão Christie e reproduzido com música em admirável página litográfica de Heinrich Fleuiss.

O que parece dominar o verso do grande lírico das *Ocidentais* e dos poemas desse período é um certo tom castiço, quase lusitano, quase camoniano, que fica explícito, mas aí por motivos óbvios, nos quatro sonetos a "Camões". Mas o mesmo tom reencontramos no poema a Gonçalves Crespo:

> Mas a sombra do filho, no momento
> De entrar perpetuamente os pátrios lares.

ou no último verso dos sonetos a Pombal:

> Sobre um pouco de chão do ninho teu paterno.

ainda que se trate de um alexandrino. E no célebre "A Carolina", inegavelmente sente-se todo um tom quase quinhentista, com os camonianos tercetos rimados em particípios, que nos fazem lembrar de um José Albano. Ora, retrucaria o leitor, todos os temas tratados neste tópico têm ligação lusitana. De Camões e Pombal não há o que falar. Gonçalves Crespo, sendo brasileiro, foi poeta português e lá morreu, e Carolina era portuguesa. O que talvez seja útil lembrar, em meio a estas reflexões, é a profunda ligação biográfica e literária de Machado com Portugal. Nascido no Rio de Janeiro, a metrópole mais lusitana do Brasil, filho de uma portuguesa dos Açores, criado na mansão matriarcal da viúva lusitana do Brigadeiro e Senador Bento Barroso Pereira, mineiro de educação lisboeta, casado finalmente com uma outra portuguesa, por aproximação com o irmão, o poeta Faustino Xavier de Novais, de quem era amisséssimo, frequentador de círculos não alheios ao recente Real Gabinete, todo esse aspecto ou essa ambiência parecem ter sido continuamente subestimados pela questão da origem mulata e de suas resultantes psicológicas, embora em Machado de Assis o componente português dominasse, sob qualquer aspecto, o componente negro, o que aliás não teria nenhum interesse, não fosse o comportamento típico das elites eufêmicas brasileiras, que se exemplifica à maravilha na famosa carta de Nabuco a José Veríssimo, quando este ousara chamar o falecido autor de *A mão e a luva* de mulato.

Na seleção aqui seguida, à qual preside um critério estritamente qualitativo, e onde os poemas foram retirados desde os dispersos até os que se podem dizer canônicos das *Poesias completas*, apenas uma das muitas traduções de Machado foi reproduzida, basicamente para valorizar o material poético próprio do autor. E esta não poderia deixar de ser a de "O corvo", não só pela grande fama alcançada, como pelo que nela há de criação de uma forma estrófica totalmente independente do original, e de grande efeito. Se as traduções do "Solilóquio" de *Hamlet* e do inteiro canto XXV, admirabilíssimo e difícil, da *Divina Comédia*, são de inegável valor, delas podemos dizer que são formalmente o que deveriam ser, enquanto o tom lúgubre da tradução de "O corvo" parece ter deixado alguns rastros na poesia brasileira. Aparecido em livro justamente nas *Ocidentais*, dentro das *Poesias completas* de 1901, fora publicada primeiramente em *A Estação*, a 22 de fevereiro de 1883. E é mais que provável a existência de um eco entre os dois versos impressionantes que a iniciam:

> Em certo dia, à hora, à hora
> Da meia-noite que apavora.

e o extraordinário poema "À meia-noite", do *Kiriale*, de Alphonsus de Guimaraens – para quem, certa vez, o jovem Mário de Andrade recitou todo o original do poema americano de memória, e autor, no mesmo livro, de um "A cabeça de corvo" muito característico:

> Pois ela disse: "Ao cemitério
> Vamos à meia-noite em ponto."
>
> E eu respondi-lhe: "Conto, conto
> Contigo à meia-noite em ponto."

Das *Crisálidas* retiramos unicamente o poema de abertura, "*Musa consolatrix*", cujo tom estoico assume algo de programático na vida do autor, e o romântico "Epitáfio do México". Das *Falenas*, o conhecido "Menina e moça" que, apesar da aguda descrição de um estado psicológico adolescente feminino, Machado retirou do corpo do livro na edição das *Poesias completas*, e "Musa dos olhos verdes". Das *Americanas*, selecionamos o longo poema "Potira", de uma dignidade de linguagem que tenta emular com os grandes momentos do Indianismo; a ode neoclássica e patriótica a José Bonifácio e a célebre nênia a Gonçalves Dias; o pequeno poema histórico-patriótico "Os semeadores", com um tema que terá ecos mais efetivos na poesia brasileira; o já citado "A flor do embiruçu", "Lua nova" e "A última jornada", poema em tercetos demonstrativos de uma inegável familiarização com Dante, e que foi comentado por Mário de Andrade. Das *Ocidentais*, por fim, reproduzimos quase todo o livro, com a exceção das traduções mencionadas, e de entre os dispersos os títulos mais representativos desse ou daquele aspecto.

Mas afinal, vamos aos poemas, caro leitor, para assistirmos à milagrosa evolução de um pobre adolescente carioca, que aos quinze anos, em 3 de outubro de 1854, escreveu – ao menos do que chegou até nós – o seu primeiro poema, o soneto "À Ilma. Sra. D. P. J. A", ao qual se seguiu, com a data de 6 de janeiro de 1885, um outro intitulado "A palmeira", provável parente da "bela mangueira" de Gonçalves Dias, e ainda muito longe daquela em que Alberto de Oliveira sonharia viver num píncaro azulado, e que assim começava:

> Como é linda e verdejante
> Esta palmeira gigante
> Que se eleva sobre o monte!
> Como seus galhos frondosos
> S'elevam tão majestosos
> Quase a tocar no horizonte!

e que poucos dias depois, possivelmente com profundo orgulho renovado, via um seu outro trabalho publicado, com o seu último sobrenome em letra de fôrma, o poema "Ela", saído na *Marmota Fluminense*, de Paula Brito, e que assim principiava:

> Seus olhos que brilham tanto
> Que prendem tão doce encanto,
> Que prendem um casto amor
> Onde com rara beleza,
> Se esmerou a natureza
> Com meiguice e com primor.

Era que nesses olhos adolescentes – nos do autor, não nos da musa – ainda não se haviam plenamente manifestado, como nos de um antigo príncipe indiano, os espectros do sofrimento, da velhice, da doença e da morte, nem aquele da loucura, e muito menos, ao alto da montanha, o "outro" lhe estendera a mão.

Alexei Bueno
9/4/1998

POEMAS

CRISÁLIDAS

MUSA CONSOLATRIX

Que a mão do tempo e o hálito dos homens
Murchem a flor das ilusões da vida,
    Musa consoladora,
É no teu seio amigo e sossegado
Que o poeta respira o suave sono.

    Não há, não há contigo,
Nem dor aguda, nem sombrios ermos;
Da tua voz os namorados cantos
    Enchem, povoam tudo
De íntima paz, de vida e de conforto.

Ante esta voz que as dores adormece,
E muda o agudo espinho em flor cheirosa,
Que vales tu, desilusão dos homens?
    Tu que podes, ó tempo?
A alma triste do poeta sobrenada
    À enchente das angústias,
E, afrontando o rugido da tormenta,
Passa cantando, alcíone divina.
    Musa consoladora,
Quando da minha fronte de mancebo
A última ilusão cair, bem como
    Folha amarela e seca
Que ao chão atira a viração do outono,

Ah! no teu seio amigo
Acolhe-me, – e haverá minha alma aflita,
Em vez de algumas ilusões que teve,
A paz, o último bem, último e puro!

EPITÁFIO DO MÉXICO

Dobra o joelho: – é um túmulo.
Embaixo amortalhado
Jaz o cadáver tépido
De um povo aniquilado;
A prece melancólica
Reza-lhe em torno à cruz.

Ante o universo atônito
Abriu-se a estranha liça,
Travou-se a luta férvida
Da força e da justiça;
Contra a justiça, ó século,
Venceu a espada e o obus.

Venceu a força indômita;
Mas a infeliz vencida
A mágoa, a dor, o ódio,
Na face envilecida
Cuspiu-lhe. E a eterna mácula
Seus louros murchará.

E quando a voz fatídica
Da santa liberdade
Vier em dias prósperos
Clamar à humanidade,
Então revivo o México
Da campa surgirá.

FALENAS

MENINA E MOÇA

A Ernesto Cibrão

Está naquela idade inquieta e duvidosa,
Que não é dia claro e é já o alvorecer;
Entreaberto botão, entrefechada rosa,
Um pouco de menina e um pouco de mulher.

Às vezes recatada, outras estouvadinha,
Casa no mesmo gesto a loucura e o pudor;
Tem coisas de criança e modos de mocinha,
Estuda o catecismo e lê versos de amor.

Outras vezes valsando, o seio lhe palpita,
Do cansaço talvez, talvez de comoção.
Quando a boca vermelha os lábios abre e agita,
Não sei se pede um beijo ou faz uma oração.

Outras vezes beijando a boneca enfeitada,
Olha furtivamente o primo que sorri;
E se corre parece, à brisa enamorada,
Abrir asas de um anjo e tranças de uma huri.

Quando a sala atravessa, é raro que não lance
Os olhos para o espelho; é raro que ao deitar
Não leia, um quarto de hora, as folhas de um romance
Em que a dama conjugue o eterno verbo amar.

Tem na alcova em que dorme, e descansa de dia,
A cama da boneca ao pé do toucador;
Quando sonha, repete, em santa companhia,
Os livros do colégio e o nome de um doutor.

Alegra-se em ouvindo os compassos da orquestra;
E quando entra num baile, é já dama do tom;
Compensa-lhe a modista os enfados da mestra;
Tem respeito a Geslin, mas adora a Dazon.

Dos cuidados da vida o mais tristonho e acerbo
Para ela é o estudo, excetuando talvez
A lição de sintaxe em que combina o verbo
To love, mas sorrindo ao professor de inglês.

Quantas vezes, porém, fitando o olhar no espaço,
Parece acompanhar uma etérea visão;
Quantas cruzando ao seio o delicado braço
Comprime as pulsações do inquieto coração!

Ah! se nesse momento, alucinado, fores
Cair-lhe aos pés, confiar-lhe uma esperança vã,
Hás de vê-la zombar dos teus tristes amores,
Rir da tua aventura e contá-la à mamã.

É que esta criatura, adorável, divina,
Nem se pode explicar, nem se pode entender:
Procura-se a mulher e encontra-se a menina,
Quer-se ver a menina e encontra-se a mulher!

MUSA DOS OLHOS VERDES

Musa dos olhos verdes, musa alada,
 Ó divina esperança,
Consolo do ancião no extremo alento,
 E sonho da criança;

Tu que junto do berço o infante cinges
 C'os fúlgidos cabelos;
Tu que transformas em dourados sonhos
 Sombrios pesadelos;

Tu que fazes pulsar o seio às virgens;
 Tu que às mães carinhosas
Enches o brando, tépido regaço
 Com delicadas rosas;

Casta filha do céu, virgem formosa
 Do eterno devaneio,
Sê minha amante, os beijos meus recebe,
 Acolhe-me em teu seio!

Já cansada de encher lânguidas flores
 Com as lágrimas frias,
A noite vê surgir do oriente a aurora
 Dourando as serranias.

Asas batendo à luz que as trevas rompe,
    Piam noturnas aves,
E a floresta interrompe alegremente
    Os seus silêncios graves.

Dentro de mim, a noite escura e fria
    Melancólica chora;
Rompe estas sombras que o meu ser povoam;
    Musa, sê tu a aurora!

AMERICANAS

POTIRA

Os Tamoios, entre outras presas que fizeram, levaram esta índia, a qual pretendeu o capitão da empresa violar: resistiu valorosamente dizendo em língua brasílica: "Eu sou cristã e casada; não hei de fazer traição a Deus e a meu marido; bem podes matar-me e fazer de mim o que quiseres". Deu-se por afrontado o bárbaro, e em vingança lhe acabou a vida com grande crueldade.

Vasc., *Cr. da Comp. de Jesus*, liv. 3º.

I

Moça cristã das solidões antigas,
Em que áurea folha reviveu teu nome?
Nem o eco das matas seculares,
Nem a voz das sonoras cachoeiras,
O transmitiu aos séculos futuros.
Assim da tarde estiva às auras frouxas
Tênue fumo do colmo no ar se perde;
Nem de outra sorte em moribundos lábios
A humana voz expira. O horror e o sangue
Da miseranda cena em que, de envolta
Co'os longos, magoadíssimos suspiros,
Cristã Lucrécia, abriu tua alma o voo
Para subir às regiões celestes,
Mal deixada memória aos homens lembra.

Isso apenas; não mais; teu nome obscuro,
Nem tua campa o brasileiro os sabe.

II

Já da férvida luta os ais e os gritos
Extintos eram. Nos baixéis ligeiros
Os tamoios incólumes embarcam;
Ferem co'os remos as serenas ondas
Até surgirem na remota aldeia.
Atrás ficava, lutuosa e triste,
A nascente cidade brasileira,
Do inopinado assalto espavorida,
Ao céu mandando em coro inúteis vozes.
Vinha já perto rareando a noite,
Alva aurora, que à vida acorda as selvas,
Quando a aldeia surgiu aos olhos torvos
Da expedição noturna. À praia saltam
Os vencedores em tropel; transportam
Às cabanas despojos e vencidos,
E, da vigília fatigados, buscam
Na curva, leve rede amigo sono,
Exceto o chefe. Oh! esse não dormira
Longas noites, se a troco da vitória
Precisas fossem. Traz consigo o prêmio,
O desejado prêmio. Desmaiada
Conduz nos braços trêmulos a moça
Que renegou Tupã, e as rudes crenças
Lavou nas águas do batismo santo.
Na rede ornada de amarelas penas
Brandamente a depõe. Leve tecido

Da cativa gentil as formas cobre;
Veste-as de mais a sombra do crepúsculo,
Sombra que a tíbia luz da alva nascente
De todo não rompeu. Inquieto sangue
Nas veias ferve do índio. Os olhos luzem
De concentrada raiva triunfante.
Amor talvez lhes lança um leve toque
De ternura, ou já sôfrego desejo:
Amor, como ele, aspérrimo o selvagem,
Que outro não sente o herói.

III

                    Herói lhe chamam
Quantos o hão visto no fervor da guerra
Medo e morte espalhar entre os contrários
E avantajar-se nos certeiros golpes
Aos mais fortes da tribo. O arco e a flecha
Desde a infância os meneia ousado e afouto;
Cedo aprendeu nas solitárias brenhas
A pleitear às feras o caminho.
A força opõe à força, a astúcia à astúcia,
Qual se da onça e da serpente houvera
Colhido as armas. Traz ao colo os dentes
Dos contrários vencidos. Nem dos anos
O número supera os das vitórias;
Tem no espaçoso rosto a flor da vida,
A juventude, e goza entre os mais belos
De real primazia. A cinta e a fronte
Azuis, vermelhas plumas alardeiam,
Ingênuas galas do gentio inculto.

IV

Da cativa gentil cerrados olhos
Não se entreabrem à luz. Morta parece.
Uma só contração lhe não perturba
A paz serena do mimoso rosto.
Junto dela, cruzados sobre o peito
Os braços, Anajê contempla e espera;
Sôfrego espera, enquanto ideias negras
Estão a revoar-lhe em torno e a encher-lhe
A mente de projetos tenebrosos.
Tal no cimo do velho Corcovado
Próxima tempestade engloba as nuvens.
Súbito ao seio túrgido e macio
Ansiosas mãos estende; inda palpita
O coração, com desusada força,
Como se a vida toda ali buscasse
Refúgio certo e último. Impetuoso
O vestido cristão lhe despedaça,
E à luz já viva da manhã recente
Contempla as nuas formas. Era acaso
A síncope chegada ao termo próprio,
Ou, no pejo ofendida, às mãos estranhas
A desmaiada moça despertara.
Potira acorda, os olhos lança em torno,
Fita, vê, compreende, e inquieta busca
Fugir do vencedor às mãos e ao crime...
Mísera! opõe-se-lhe o irritado gesto
Do aspérrimo guerreiro; um ai lhe sobe
Angustioso e triste aos lábios trêmulos,
Sobe, murmura e sufocado expira.
Na rede envolve o corpo, e, desviando
Do terrível tamoio os lindos olhos,

Entrecortada prece aos céus envia,
E as faces banha de serenas lágrimas.

V

Longo tempo correra. Amplo silêncio
Reinou entre ambos. Do tamoio a fronte
Pouco a pouco despira o torvo aspecto.
Ao trabalhado espírito, revolto
De mil sinistros pensamentos, volve
Benigna calma. Tal de um rio engrossa
O volume extensíssimo das águas
Que vão enchendo de pavor os ecos.
Vencendo no arruído o vento e o raio,
E pouco a pouco atenuando as vozes,
Adelgaçando as ondas, tornam mansas
Ao primitivo leito. Ei-lo se inclina,
Para tomar nos braços a formosa
Por cujo amor incendiara a aldeia
Daquelas gentes pálidas de Europa.
Sente-lhe a moça as mãos, e erguendo o rosto,
O rosto inda de lágrimas molhado,
Do coração estas palavras solta:
"Lá entre os meus, suave e amiga morte,
Ah! por que me não deste? Houvera ao menos
Quem escutasse de meus lábios frios
A prece derradeira; e a santa bênção
Levaria minha alma aos pés do Eterno...
Não, não te peço a vida; é tua, extingue-a;
Um só alívio imploro. Não receies
Embeber no meu sangue a ervada seta;

Mata-me, sim; mas leva-me onde eu possa
Ter em sagrado leito o último sono!"
Disse, e fitando no índio ávidos olhos,
Esperou. Anajê sacode a fronte,
Como se lhe pesara ideia triste;
Crava os olhos no chão; lentas lhe saem
Estas vozes do peito:
                      "Oh! nunca os padres
Pisado houvessem estas plagas virgens!
Nunca de um deus estranho as leis ignotas
Viessem perturbar as tribos, como
Perturba o vento as águas! Rosto a rosto
Os guerreiros pelejam; matam, morrem.
Ante o fulgor das armas inimigas
Não descora o tamoio. Assaz lhe pulsa
Valor nativo e raro em peito livre.
Armas, deu-lhas Tupã novas e eternas
Nestas matas vastíssimas. De sangue
Estranhos rios hão de, ao mar correndo,
Tristes novas levar à pátria deles,
Primeiro que o tamoio a frente incline
Aos inimigos peitos. Outra força,
Outra e maior nos move a guerra crua;
São eles, são os padres. Esses mostram
Cheia de riso a boca e o mel nas vozes,
Sereno o rosto e as brancas mãos inermes;
Ordens não trazem de cacique alheio,
Tudo nos levam, tudo. Uma por uma
As filhas de Tupã correm trás eles,
Com elas os guerreiros, e com todos
A nossa antiga fé. Vem de perto o dia
Em que, na imensidão destes desertos,

Há de ao frio luar das longas noites
O pajé suspirar sozinho e triste
Sem povo nem Tupã!"

VI

Silenciosas
Lágrimas lhe espremeu dos olhos negros
Esta lembrança de futuros males.
"Escuta!" diz Potira. O índio estende
Imperioso as mãos e assim prossegue:
"Também com eles foste, e foi contigo
Da minha vida a flor! Teu pai mandara,
E com ele mandou Tupã, que eu fosse
Teu esposo; vedou-mo a voz dos padres,
Que me perdeu, levando-te consigo.
Não morri; vivi só para esta afronta;
Vivi para esta insólita tristeza
De maldizer teu nome e as graças tuas,
Chorar-te a vida e desejar-te a morte.
Ai! nos rudes combates em que a tribo
Rega de sangue o chão da virgem terra
Ou tinge a flor do mar, nunca a meu lado
Teu nobre vulto esteve. A aldeia toda,
Mais que o teu coração, ficou deserta.
Duas vezes, mimosas rebentaram
Do lacrimoso cajueiro as flores,
Desde o dia funesto em que deixaste
A cabana paterna. O extremo lume

Expirou de teu pai nos olhos tristes;
Piedosa chama consumiu seus restos
E a aldeia toda o lastimou com prantos.
Não de todo se foi da nossa vida;
Parte ficou para sentir teus males.
Antes que o último sol à melindrosa
Flor do maracujá cerrasse as folhas
Um sonho tive. Merencório vulto,
Triste como uma fronte de vencido,
Cor da lua os cabelos venerandos,
O vulto de teu pai: "Guerreiro (disse),
Corre à vizinha habitação dos brancos,
Vai, arranca Potira à lei funesta
Dos pálidos pajés; Tupã to ordena;
Nos braços traze a fugitiva corça,
Vincula o teu destino ao dela; é tua".
"Impossível! Que vale um vago sonho?
Sou esposa e cristã. Ímpio, respeita
O amor que Deus protege e santifica;
Mata-me; a minha vida te pertence;
Ou, se te pesa derramar o sangue
Daquela a quem amaste, e por quem foste
Lançar entre os cristãos a dor e o susto,
Faze-me escrava; servirei contente
Enquanto a vida alumiar meus olhos.
Toma, entrego-te o sangue e a liberdade;
Ordena ou fere. Tua esposa, nunca!"
Calou-se, e reclinada sobre a rede
Potira murmurava ignota prece,
Olhos fitos no próximo arvoredo,
Olhos não ermos de profunda mágoa.

VII

Ó Cristo! em que alma penetrou teu nome
Que lhe não desse o bálsamo da vida?
Pelo vento dos séculos levado,
Vidente e cego, o máximo dos seres,
Que fora do homem nesta escassa terra,
Se ao mistério da vida lhe não desses,
Ó Cristo! a eterna chave da esperança?
Filosofia estoica, árdua virtude,
Criação de homem, tudo passa e expira.
Tu só, filha de Deus, palavra amiga,
Tu, suavíssima voz da eternidade,
Tu perduras, tu vales, tu confortas,
Neste sonho iriado de outros sonhos,
Vários como as feições da natureza,
Nesta confusa agitação da vida,
Que alma transpõe a derradeira idade
Farta de algumas passageiras glórias?
Torvo é o ar do sepulcro; ali não viçam
Essas cansadas rosas da existência
Que às vezes tantas lágrimas nos custam,
E tantas mais antes do ocaso expiram.
Flor do Evangelho, núncia de alvos dias,
Esperança cristã, não te há murchado
O vento árido e seco; és tu viçosa
Quando as da terra lânguidas inclinam
O seio, e a vida lentamente exalam.
Esta a consolação última e doce
Da esposa indiana foi. Cativa ou morta,
Antevia a celeste recompensa
Que aos humildes reserva a mão do Eterno.
Naquele rude coração das brenhas
A semente evangélica brotara.

VIII

Das duas condições deu-lhe o guerreiro
A pior, – fê-la escrava; ei-la aparece
Da sua aldeia aos olhos espantados
Qual fora em dias de melhor ventura.
Despida vem das roupas que lhe há posto
Sobre as polidas formas uso estranho,
Não sabido jamais daqueles povos
Que a natureza ingênua doutrinara.
Vence na gentileza às mais da tribo,
E tem de sobra um sentimento novo,
Pudor de esposa e de cristã, – realce
Que ao índio acende a natural volúpia.
Simulada alegria lhe descerra
Os lábios; riso à flor, escasso e dúbio,
Que mal lhe encobre as vergonhosas mágoas.
À voz do seu senhor acorre humilde;
Não a assusta o labor; nem dos perigos
Conhece os medos. Nas ruidosas festas,
Quando ferve o cauim, e o ar atroa
Pocema de alegria ou de combate,
Como que se lhe fecha a flor do rosto.
Já lhe descai então no seio opresso
A graciosa fronte; os olhos fecha,
E ao céu voltando o pensamento puro,
Menos por si, que pelos outros pede.
Nem só o ardor da fé lhe abrasa o peito;
Lacera-lho também agra saudade;
Chora a separação do amado esposo,
Que, ou cedo a esquece, ou solitário geme.
Se, alguma vez, fugindo a estranhos olhos,
Não já cruéis, mas cobiçosos dela,

Entra desatinada o bosque antigo,
E a dor expande em lôbregos soluços,
Co'o doce nome acorda ao longe os ecos,
Farta de amor e pródiga de vida,
Ouve-as a selva, e não lhe entende as mágoas.
Outras vezes pisando a ruiva areia
Das praias, ou galgando a penedia
Cujos pés orla o mar de nívea espuma,
As ondas murmurantes interroga:
Conta ao vento da noite as dores suas;
Mas... fiéis ao destino e à lei que as rege,
As preguiçosas ondas vão caminho,
Crespas do vento que sussurra e passa.

IX

Quando, ao sol da manhã, partem às vezes,
Com seus arcos, os destros caçadores,
E alguns da rija estaca desatando
Os nós de embira às rápidas igaras,
À pesca vão pelas ribeiras próximas,
Das esposas, das mães que os lares velam,
Grata alegria os corações inunda,
Menos o dela, que suspira e geme,
E não aguarda doce esposo ou filho.
Triste os vê na partida e no regresso,
E nessa melancólica postura,
Semelha a acácia langue e esmorecida,
Que já de orvalho ou sol não pede os beijos.
As outras... – Raro em lábios de felizes
Alheias mágoas travam. Não se pejam

De seus olhos azuis e alegres penas
Os saís sobre as árvores pousados,
Se ao perto voa na campina verde
De anuns lutuoso bando; nem os trilos
Das andorinhas interrompe a nota
Que a juriti suspira. – As outras folgam
Pelo arraial dispersas; vão-se à terra
Arrancar as raízes nutritivas,
E fazem os preparos do banquete
A que hão de vir mais tarde os destemidos
Senhores do arco, alegres vencedores
De quanto vive na água e na floresta.
Da cativa nenhuma inquire as mágoas.
Contudo, algumas vezes, curiosas
Virgens lhe dizem, apiedando o gesto:
"Pois que à taba voltaste, em que teus olhos
Primeiro viram luz, que mágoa funda
Lhes destila tão longo e amargo pranto,
Amargo mais do que esse que não busca
Recatado silêncio?" E às doces vozes
A cristã desterrada assim responde:
"Potira é como aquela flor que chora
Lágrimas de alvo leite, se do galho
Mão cruel a cortou. Oh! não permita
O céu que ímpia fortuna vos separe
Daquele que escolherdes. Dor é essa
Maior que um pobre coração de esposa.
Esperanças... Deixei-as nessas águas
Que me trouxeram, cúmplices do crime,
À taba de Tupã, não alumiada

Da palavra celeste. Algumas vezes,
Raras, alveja em minha noite escura
Não sei que tíbia aurora, e penso: Acaso
O sol que vem me guarda um raio amigo,
Que há de acender nestes cansados olhos
Ventura que já foi. As asas colhe
Guanumbi, e o aguçado bico embebe
No tronco, onde repousa adormecido
Até que volte uma estação de flores.
Ventura imita o guanumbi dos campos:
Acordará co'as flores de outros dias.
Doce ilusão que rápido se escoa,
Como o pingo de orvalho mal fechado
Numa folha que o vento agita e entorna".
E as virgens dizem, apiedando o gesto:
"Potira é como aquela flor que chora
Lágrimas de alvo leite, se do galho
Mão cruel a cortou!"

X

      Era chegado
O fatal prazo, o desenlace triste.
Tudo morre, – a tristeza como o gozo;
Rosas de amor ou lírios de saudade,
Tarde ou cedo os esfolha a mão do tempo.
Costeando as longas praias, ou transpondo
Extensos vales e montanhas, correm
Mensageiros que às tabas mais vizinhas
Vão convidar à festa as gentes todas.
Era a festa da morte. Índio guerreiro,

Três luas há cativo, o instante aguarda
Em que às mãos de inimigos vencedores,
Caia expirante, e os vínculos rompendo
Da vida, a alma remonte além dos Andes.
Corre de boca em boca e de eco em eco
A alegre nova. Vem descendo os montes,
Ou abicando às povoadas praias
Gente de raça ilustre. A onda imensa
Pelo arraial se estende pressurosa.
De quantas cores natureza fértil
Tinge as próprias feições, copiam eles
Engraçadas, vistosas louçanias.
Vários na idade são, vários no aspecto,
Todos iguais e irmãos no herdado brio.
Dado o amplexo de amigo, acompanhado
De suspiros e pêsames sinceros
Pelas fadigas da viagem longa,
Rompem ruidosas danças. Ao tamoio
Deu o Ibaque os segredos da poesia;
Cantos festivos, modulados vozes,
Enchem os ares, celebrando a festa
Do sacrifício próximo. Ah! não cubra
Véu de nojo ou tristeza o rosto aos filhos
Destes polidos tempos! Rudes eram
Aqueles homens de ásperos costumes,
Que ante o sangue de irmãos folgavam livres,
E nós, soberbos filhos de outra idade,
Que a voz falamos da razão severa
E na luz dos banhamos do Calvário,
Que somos nós mais que eles? Raça triste
De Cains, raça eterna...

XI

    Os cantos cessam.
Calou-se o maracá. As roucas vozes
Dos férvidos guerreiros já reclamam
O brutal sacrifício. Às mãos das servas
A taça do cauim passara exausta.
Inquieto aguarda o prisioneiro a morte.
Da nação guaianás nos rudes campos
Nasceu. Nos campos da saudosa pátria
Industriosa mão não sabe ainda
Alevantar as tabas. Cova funda
Da terra, mãe comum, no seio aberta,
Os acolhe e protege. O chão lhes forra
A pele do tapir; contínua chama
Lhes supre a luz do sol. É uso antigo
Do guaianás que chega a extrema idade,
Ou de mortal doença acometido,
Não expirar aos olhos de outros homens;
Vivo o guardam no bojo da igaçaba,
E à fria terra o dão, como se fora
Pasto melhor (melhor!) aos frios vermes.
Do almo, doce licor que extrai das flores
Mãe do mel, iramaia, larga cópia
Pelos robustos membros lhe coaram
Seis anciãs da tribo. Rubras penas
Na vasta fronte e nos nervosos braços
Garridamente o enfeitam. Longa e forte
A muçurana os rins lhe cinge e aperta.
Entra na praça o fúnebre cortejo.
Olhar tranquilo, inda que fero, espalha

O indomado cativo. Em pé, defronte,
Grave, silencioso, ao sol mostrando
De feias cores e vistosas plumas
Singular harmonia, aguarda a vítima
O executor. Nas mãos lhe pende a enorme
Tagapema enfeitada, arma certeira,
Arma triunfal de morte e de extermínio.
Medem-se rosto a rosto os dous contrários
Cum sorriso feroz. Confusas vozes
Enchem súbito o espaço. Não lhe é dado
Ao vencido guerreiro haver a morte
Silenciosa e triste em que se passa
Da curva rede à fria sepultura.
Meigas aves que vão de um clima a outro
Abrem placidamente as asas leves,
Não tu, guerreiro, que encaraste a morte,
Tu combates! Vencido e vencedores
Derradeiros escárnios se arremessam;
Gritos, injúrias, convulsões de raiva,
Vivo clamor acorda os longos ecos
Das penedias próximas. A clava
Do executor girou no ar três vezes
E de leve caiu na grossa espádua
Do arquejante cativo. Já na boca,
Que o desprezo e o furor num riso entreabrem,
Orla de espuma alveja. Avança, corre,
Estaca... Não lhe dá mais amplo espaço
A muçurana cujas pontas tiram
Dous mancebos robustos. Nas cavernas
Do longo peito lhe murmura o ódio,
Surdo, como a rumor da terra inquieta,
Pejada de vulcões. Os lábios morde,
E, como derradeira injúria, à face

Do executor lhe cospe espuma e sangue.
Não vibra o arco mais veloz o tiro,
Nem mais segura no aterrado cervo
Feroz sucuriúba os nós enrosca,
Do que a pesada, enorme tagapema
A cabeça de um golpe lhe esmigalha.
Cai fulminada a vítima na terra,
E alegre o povo longamente aplaude.

XII

Na voz universal perdeu-se um grito
De piedade e terror: tão fundo entrara
Naquela alma roubada à noite escura
Raio de sol cristão! Potira foge,
Pelos bosques atônita se entranha
E para à margem de um pequeno rio;
Pousa na relva os trêmulos joelhos
E nas mimosas mãos esconde o rosto.
Não de lágrimas era aquele sítio
Ou só de doces lágrimas choradas
De olhos que amor venceu: – macia relva,
Leito de sesta e amores fugitivos.
Da verde, rara abóbada de folhas
Tépida e doce a luz coava a frouxo
Do sol, que, além das árvores, tranquilo,
Metade da jornada ia transpondo.
Longe era ainda a hora melancólica
Em que a gerema cerra a miúda folha,
E o lume azul o pirilampo acende.
De pé, a um velho tronco descoroado
Da copada ramagem, resto apenas,

Vestígio do tufão, a indiana moça
Languidamente encosta o esbelto corpo.
Neste ameno recesso tudo é triste,
Porque é alegre tudo. Não mui longe
Um desfolhado ipê conserva e guarda
Flores que lhe ficaram de outro estio,
Como esperança de folhagem nova,
Flores que a desventura lhe há negado,
A ela, alma esquecida nesta terra,
Que nada espera da estação vindoura.
Olha, e de inveja o coração lhe estala;
Pelo tronco das árvores se enroscam
Parasitas, esposas do arvoredo,
Mais fiéis não, mais venturosas que ela.
Morrer? Descanso fora às mágoas suas,
Mais que descanso, perdurável gozo,
Que a nossa eterna pátria aos infelizes
Deste desterro guarda alvas capelas
De não murchandas e cheirosas flores.
Tal lhe falava no íntimo do peito
Desespero cruel. Alguns instantes
Pela cansada mente lhe vagaram
De voluntária, abreviada morte,
Lutuosas ideias. Mal compreende
Esses desmaios da criatura humana
Quem não sentiu no coração rasgado
Abatimento e enojo; ou, mais do que isto,
Esse contraste imenso e irreparável
Do amor interno e a solidão da vida.
Rápido espaço foi. Pronto lhe volve
Doce resignação, cristã virtude,
Que desafia e que assoberba os males.
As débeis mãos levanta. Já dos lábios

Solta nas asas de oração singela
Lástimas suas... Na folhagem seca
Ouve de cautos pés rumor sumido,
Volve a cabeça...

XIII

            Trêmulo, calado,
Anajê crava nela os olhos turvos
Dos vapores da festa. As mãos inermes
Lhe pendem; mas o peito – ó mísera! – esse,
Esse de mal contido amor transborda.
Longo instante passou. Alfim: "Deixaste
A festa nossa (o bárbaro murmura);
Misteriosa vieste. Dos guerreiros
Nenhum te viu; mas eu senti teus passos,
E vim contigo ao ermo. Ave mesquinha,
Inútil foges; gavião te espreita,
Minha te fez Tupã". Em pé, sorrindo,
Escutava Potira a voz severa
De Anajê. Breve espaço abria entre ambos
Alcatifado chão. A fatal hora
Chegara alfim? Não o perscruta a moça;
Tudo aceita das mãos do seu destino,
Tudo, exceto... No próximo arvoredo
Ouve de uma ave o pio melancólico;
Era a voz de seu pai? a voz do esposo?
De ambos talvez. No ânimo da escrava
Restos havia dessa crença antiga,
Antiga e sempre nova: o peito humano
Raro de obscuros elos se liberta.

XIV

"Nasceste para ser senhora e dona:
Anajê não te veda a liberdade;
Quebra tu mesma os nós do cativeiro,
Faze-te esposa. Vem coroar meus dias;
Vem, tudo esqueço. A fronte do guerreiro.
Adornada por ti, será mais nobre;
Mais forte o braço em que pousar teu rosto.
Sou menos belo que esse esposo ausente?
Rudes feições compensa amor sobejo.
Vem; ser-me-ás companheira nos combates,
E, se inimiga frecha entrar meu seio,
Morrerei a teus pés. Tens medo aos padres?
Outro destino escolhe. Cauteloso,
Tece o japu nos elevados ramos
Das elevadas árvores o ninho,
Onde o inimigo lhe não roube a prole.
Ninho há na serra ao nosso amor propício;
Viveremos ali. Troveje embaixo
A inúbia convidando à guerra os povos;
Leva de arcos transforme estas aldeias
Em campos de combate, – ou já dispersas
As fugitivas tribos vão buscando
Longes sertões para chorar seus males;
Viveremos ali. Talvez, um dia,
Quando eu passar à misteriosa estância
Das delícias eternas, me pergunte
Meu velho pai: "Teu arco de guerreiro
Em que deserta praia a abandonaste?
Salvar-me-á teu amor do eterno pejo".

XV

Doce era a voz e triste. Rasos d'água
Os olhos. Foi desmaio de tristeza
Que o gesto dissipou da esquiva moça.
Volve ao Tamoio vingativa ideia.
– "Minha (diz ele) ou morres!" Estremece
Potira, como quando a brisa passa
Ao de leve na folha da palmeira,
E logo fria ao bárbaro responde:
"Jaz esquecido em nossas velhas tabas
O respeito da esposa? Acaso é digna
Do sangue do Tamoio esta ameaça?
Que desvalia aos olhos teus me coube,
Se a outro me ligaram natureza,
Religião, destino? A liberdade
Nas tuas mãos depus; com ela a vida.
É tudo, quase tudo. Honra de esposa,
Oh! essa deves respeitá-la! Vai-te!
Ceva teu ódio nas sangrentas carnes
Do prostrado cativo. Aqui chorando,
Na soidão destes bosques mal fechados,
Às maviosas brisas meus suspiros
Entregarei; levá-los-ão nas asas
Lá onde geme solitário esposo.
Vai-te!" E as mimosas mãos colhendo ao rosto
Alçou a Deus o pensamento amante,
Como a centelha viva que a fogueira
Extinta aos ares sobe. Imóvel, muda,
Longo tempo ficou. Diante dela,

Que desafia e que assoberba os males,
Como ela imóvel, o tamoio estava.
Amor, ódio, ciúme, orgulho, pena,
Opostos sentimentos se combatem
No atribulado peito. Generoso
Era, mas não domado amor lhe dava
Inspiração de crimes. Não mais pronto
Cai sobre a triste corça fugitiva
Jaguar de longa fome esporeado,
Do que ele as mãos lançou ao colo e à fronte
Da mísera Potira. Ai! não, não diga
A minha voz o lamentoso instante
Em que ela, ao seu algoz volvendo ansiosa
Turvos olhos: "Perdoo-te!" murmura,
Os lábios cerra e imaculada expira!

XVI

Estro maior teu nome obscuro cante,
Moça cristã das solidões antigas,
E eterno o cinja de virentes flores,
Que as mereces. De não sabido bardo
Estes gemidos são. Lânguidas brisas
No taquaral à noite sussurrando,
Ou enrugando o mole dorso às vagas,
Não têm a voz com que domina os ecos
Despenhada cachoeira. São, contudo,
Mais que débeis e tristes, no concerto
Da orquestra universal cabidas notas.
Alveja a nebulosa entre as estrelas,
E abre ao pé do rosal a flor da murta.

JOSÉ BONIFÁCIO

De tantos olhos que o brilhante lume
Viram do sol amortecer no ocaso,
Quantos verão nas orlas do horizonte
    Resplandecer a aurora?

Inúmeras, no mar da eternidade,
As gerações humanas vão caindo;
Sobre elas vai lançando o esquecimento
    A pesada mortalha.

Da agitação estéril em que as forças
Consumiram da vida, raro apenas
Um eco chega aos séculos remotos,
    E o mesmo tempo o apaga.

Vivos transmite a popular memória
O gênio criador e a sã virtude,
Os que o pátrio torrão honrar souberam,
    E honrar a espécie humana.

Vivo irás tu, egrégio e nobre Andrada!
Tu, cujo nome, entre os que à pátria deram
O batismo da amada independência,
    Perpetuamente fulge.

O engenho, as forças, o saber, a vida,
Tudo votaste à liberdade nossa,
Que a teus olhos nasceu, e que teus olhos
    Inconcussa deixaram.

Nunca interesse vil manchou teu nome,
Nem abjetas paixões; teu peito ilustre
Na viva chama ardeu que os homens leva
    Ao sacrifício honrado.

Se teus restos há muito que repousam
No pó comum das gerações extintas,
A pátria livre que legaste aos netos
    E te venera e ama,

Nem a face mortal consente à morte
Que te roube, e no bronze redivivo
O austero vulto restitui aos olhos
    Das vindouras idades.

"Vede (lhes diz) o cidadão que teve
Larga parte no largo monumento
Da liberdade, a cujo seio os povos
    Do Brasil se acolheram.

Pode o tempo varrer, um dia, ao longe,
A fábrica robusta; mas os nomes
Dos que o fundaram viverão eternos,
    E viverás, Andrada!"

A GONÇALVES DIAS

> Ninguém virá, com titubeantes passos,
> E os olhos lacrimosos, procurando
> O meu jazigo...
>
> > Gonçalves Dias, *Últ. Cant.*
>
> Tu, vive e goza a luz serena e pura.
> > J. Basílio da Gama, *Urug.*, c. V.

Assim vagou por alongados climas,
E do naufrágio os úmidos vestidos
Ao calor enxugou de estranhos lares
O lusitano vate. Acerbas penas
Curtiu naquelas regiões; e o Ganges
Se o viu chorar, não viu pousar calada,
Como a harpa dos êxules profetas,
A heroica tuba. Ele a embocou, vencendo
Co'a lembrança do ninho seu paterno
Longas saudades e misérias tantas.
Que monta o padecer? Um só momento
As mágoas lhe pagou da vida; a pátria
Reviu, após a suspirar por ela;
    E a velha terra sua

O despojo mortal cobriu piedosa
E de sobejo o compensou de ingratos.

Mas tu, cantor da América, roubado
Tão cedo ao nosso orgulho, não te coube
Na terra em que primeiro houveste o lume
Do nosso sol, achar o último leito!
Não te coube dormir no chão amado,
Onde a luz frouxa da serena lua,
Por noite silenciosa, entre a folhagem
Coasse os raios úmidos e frios,
Com que ela chora os mortos... derradeiras
Lágrimas certas que terá na campa
O infeliz que não deixa sobre a terra
Um coração ao menos que o pranteie.

Vinha contudo o pálido poeta
Os demaiados olhos estendendo
Pela azul extensão das grandes águas,
A pesquisar ao longe o esquivo fumo
Dos pátrios tetos. Na abatida fronte
Ave de morte as asas lhe roçara;
A vida não cobrou nos ares novos.
A vida, que em vigílias e trabalhos,
Em prol dos seus, gastou por longos anos,
Co'essa larqueza de ânimo fadado
A entornar generoso a vital seiva.
Mas, que importava a morte, se era doce
Morrê-la à sombra deliciosa e amiga
Dos coqueiros da terra, ouvindo acaso
    No murmurar dos rios,

Ou nos suspiros do noturno vento,
Um eco melancólico dos cantos
Que ele outrora entoara? Traz do exílio
Um livro, monumento derradeiro
Que à pátria levantou; ali revive
Toda a memória do valente povo
Dos seus Timbiras...

                Súbito, nas ondas
Bate os pés, espumante e desabrido,
O corcel da tormenta; o horror da morte
Enfia o rosto aos nautas... Quem por ele,
Um momento hesitou quando na frágil
Tábua confiou a única esperança
Da existência? Mistério obscuro é esse
Que o mar não revelou. Ali sozinho,
Travou naquela solidão das águas
O duelo tremendo, em que a alma e corpo
As suas forças últimas despendem
Pela vida da terra e pela vida
Da eternidade. Quanta imagem torva,
Pelo turbado espírito batendo
As fuscas asas, lhe tornou mais triste
Aquele instante fúnebre! Suave
É o arranco final, quando o já frouxo
Olhar contempla as lágrimas do afeto,
E a cabeça repousa em seio amigo.
Nem afetos nem prantos; mas somente
A noite, o medo, a solidão e a morte.
A alma que ali morava, ingênua e meiga,
Naquele corpo exíguo; abandonou-o,
Sem ouvir os soluços da tristeza,

Nem o grave salmear que fecha aos mortos
O frio chão. Ela o deixou, bem como
Hóspede mal aceito e mal dormido,
Que prossegue a jornada, sem que leve
O ósculo da partida, sem que deixe
No rosto dos que ficam, – rara embora, –
Uma sombra de pálida saudade.

Oh! sobre a terra em que pousaste um dia,
Alma filha de Deus, ficou teu rasto
Como de estrela que perpétua fulge!
Não viste as nossas lágrimas; contudo
O coração da pátria as há vertido.
Tua glória as secou, bem como orvalho
Que a noite amiga derramou nas flores
E o raio enxuga da nascente aurora.
Na mansão a que foste, em que ora vives,
Hás de escutar um eco do concerto
Das vozes nossas. Ouvirás, entre elas,
Talvez, em lábios de indiana virgem!
Esta saudosa e suspirada nênia:

"Morto, é morto o cantor dos meus guerreiros!
Virgens da mata, suspirai comigo!

A grande água o levou como invejosa.
Nenhum pé trilhará seu derradeiro
Fúnebre leito; ele repousa eterno
Em sítio onde nem olhos de valentes,
Nem mãos de virgens poderão tocar-lhe
Os frios restos. Sabiá-da-praia
De longe o chamará saudoso e meigo,

Sem que ele venha repetir-lhe o canto.
Morto, é morto o cantor dos meus guerreiros!
Virgens da mata, suspirai comigo!

Ele houvera do Ibaque o dom supremo
De modular nas vozes a ternura,
A cólera, o valor, tristeza e mágoa,
E repetir aos namorados ecos
Quanto vive e reluz no pensamento.
Sobre a margem das águas escondidas,
Virgem nenhuma suspirou mais terna,
Nem mais válida a voz ergueu na taba,
Suas nobres ações cantando aos ventos,
O guerreiro tamoio. Doce e forte,
Brotava-lhe do peito a alma divina.
Morto, é morto o cantor dos meus guerreiros!
Virgens da mata, suspirai comigo!

Coema, a doce amada de Itajuba,
Coema não morreu; a folha agreste
Pode em ramas ornar-lhe a sepultura,
E triste o vento suspirar-lhe em torno;
Ela perdura a virgem dos Timbiras,
Ela vive entre nós. Airosa e linda,
Sua nobre figura adorna as festas
E enflora os sonhos dos valentes. Ele,
O famoso cantor, quebrou da morte
O eterno jugo; e a filha da floresta
Há de a história guardar das velhas tabas
Inda depois das últimas ruínas.
Morto, é morto o cantor dos meus guerreiros!
Virgens da mata, suspirai comigo!

O piaga, que foge a estranhos olhos,
E vive e morre na floresta escura,
Repita o nome do cantor; nas águas
Que o rio leva ao mar, mande-lhe ao menos
Uma sentida lágrima, arrancada
Do coração que ele tocara outrora,
Quando o ouviu palpitar sereno e puro,
E na voz celebrou de eternos carmes.
Morto, é morto o cantor dos meus guerreiros!
Virgens da mata, suspirai comigo!"

OS SEMEADORES
(Século XVI)

> ... Eis aí saiu o que semeia a semear...
> Mat., XIII, 3.

Vós os que hoje colheis, por esses campos largos,
    O doce fruto e a flor,
Acaso esquecereis os ásperos e amargos
    Tempos do semeador?

Rude era o chão; agreste e longo aquele dia;
    Contudo, esses heróis
Souberam resistir na afanosa porfia
    Aos temporais e aos sóis.

Poucos; mas a vontade os poucos multiplica,
    E a fé, e as orações
Fizeram transformar a terra pobre em rica
    E os centos em milhões.

Nem somente o labor, mas o perigo, a fome,
    O frio, a descalcez,
O morrer cada dia uma morte sem nome,
    O morrê-la, talvez,

Entre bárbaras mãos, como se fora crime,
  Como se fora réu
Quem lhe ensinara aquela ação pura e sublime
  De as levantar ao céu!

Ó Paulos do sertão! Que dia e que batalha!
  Venceste-la; e podeis
Entre as dobras dormir da secular mortalha;
  Vivereis, vivereis!

A FLOR DO EMBIRUÇU

> Noite, melhor que o dia, quem não te ama?
> Fil. Elis.

Quando a noturna sombra envolve a terra
E à paz convida o lavrador cansado,
À fresca brisa o seio delicado
A branca flor do embiruçu descerra.

E das límpidas lágrimas que chora
A noite amiga, ela recolhe alguma;
A vida bebe na ligeira bruma,
Até que rompe no horizonte a aurora.

Então, à luz nascente, a flor modesta,
Quando tudo o que vive alma recobra,
Languidamente as suas folhas dobra,
E busca o sono quando tudo é festa.

Suave imagem da alma que suspira
E odeia a turba vã! da alma que sente
Agitar-se-lhe a asa impaciente
E a novos mundos transportar-se aspira!

Também ela ama as horas silenciosas,
E quando a vida as lutas interrompe,
Ela da carne os duros elos rompe,
E entrega o seio às ilusões viçosas.

É tudo seu, – tempo, fortuna, espaço,
E o céu azul e os seus milhões de estrelas;
Abrasada de amor, palpita ao vê-las,
E a todas cinge no ideal abraço.

O rosto não encara indiferente,
Nem a traidora mão cândida aperta;
Das mentiras da vida se liberta
E entra no mundo que jamais não mente.

Noite, melhor que o dia, quem não te ama?
Labor ingrato, agitação, fadiga,
Tudo faz esquecer tua asa amiga
Que a alma nos leva onde a ventura a chama.

Ama-te a flor que desabrocha à hora
Em que o último olhar o sol lhe estende,
Vive, embala-se, orvalha-se, recende,
E as folhas cerra quando rompe a aurora.

LUA NOVA

Mãe dos frutos, Jaci, no alto espaço
Ei-la assoma serena e indecisa:
Sopro é dela esta lânguida brisa
Que sussurra na terra e no mar.
Não se mira nas águas do rio,
Nem as ervas do campo branqueia;
Vaga e incerta ela vem, como a ideia
Que inda apenas começa a espontar.

E iam todos; guerreiros, donzelas,
Velhos, moços, as redes deixavam;
Rudes gritos na aldeia soavam,
Vivos olhos fugiam p'ra o céu:
Iam vê-la, Jaci, mãe dos frutos,
Que, entre um grupo de brancas estrelas,
Mal cintila: nem pode vencê-las,
Que inda o rosto lhe cobre amplo véu.

E um guerreiro: "Jaci, doce amada,
Retempera-me as forças; não veja
Olho adverso, na dura peleja,
Este braço já frouxo cair.
Vibre a seta, que ao longe derruba
Tajaçu, que rocando caminha;
Nem lhe escape serpente daninha,
Nem lhe fuja pesado tapir".

E uma virgem: "Jaci, doce amada,
Dobra os galhos, carrega esses ramos
Do arvoredo co'os frutos que damos
Aos valentes guerreiros, que eu vou
A buscá-los na mata sombria,
Por trazê-los ao moço prudente,
Que venceu tanta guerra valente,
E estes olhos consigo levou".

E um ancião, que a saudara já muitos,
Muitos dias: "Jaci, doce amada,
Dá que seja mais longa a jornada,
Dá que eu possa saudar-te o nascer,
Quando o filho do filho, que hei visto
Triunfar de inimigo execrando,
Possa as pontas de um arco dobrando
Contra os arcos contrários vencer".

E eles riam os fortes guerreiros,
E as donzelas e esposas cantavam,
E eram risos que d'alma brotavam,
E eram cantos de paz e de amor.
Rude peito criado nas brenhas,
– Rude embora, – terreno é propício;
Que onde o gérmen lançou benefício
Brota, enfolha, verdeja, abre em flor.

ÚLTIMA JORNADA

I

E ela se foi nesse clarão primeiro,
Aquela esposa mísera e ditosa;
E ele se foi o pérfido guerreiro.

Ela serena ia subindo a airosa,
Ele à força de incógnitos pesares
Dobra a cerviz rebelde e lutuosa.

Iam assim, iam cortando os ares,
Deixando embaixo as férteis campinas,
E as florestas, e os rios e os palmares.

Oh! cândidas lembranças infantinas!
Oh! vida alegre da primeira taba;
Que aurora vos tomou, aves divinas?

Como um tronco do mato que desaba,
Tudo caiu; lei bárbara e funesta:
O mesmo instante cria e o mesmo acaba.

De esperanças tamanhas o que resta?
Uma história, uma lágrima chorada
Sobre as últimas ramas da floresta.

A flor do ipê a viu brotar magoada,
E talvez a guardou no seio amigo,
Como lembrança da estação passada.

Agora os dous, deixando o bosque antigo,
E as campinas, e os rios e os palmares
Para subir ao derradeiro abrigo,
Iam cortando lentamente os ares.

II

E ele clamava à moça que ascendia;
"Oh! tu que a doce luz eterna levas,
E vais viver na região do dia,

Vê como rasgam bárbaras e sevas
As tristezas mortais ao que se afunda
Quase na fria região das trevas!

Olha esse sol que a criação inunda!
Oh! quanta luz, oh! quanta doce vida
Deixar-me vai na escuridão profunda!

Tu ao menos perdoa-me, querida!
Suave esposa, que eu ganhei roubando,
Perdida agora para mim, perdida!

Ao maldito na morte, ao miserando,
Que mais lhe resta em sua noite impura?
Sequer alívio ao coração nefando.

Nos olhos trago a tua morte escura.
Foi meu ódio cruel que há decepado,
Ainda em flor, a tua formosura.

Mensageiro de paz, era enviado
Um dia à taba de teus pais, um dia
Que melhor fora se não fora nado.

Ali te vi; ali, entre a alegria
De teus fortes guerreiros e donzelas,
Teu doce rosto para mim sorria.

A mais bela eras tu entre as mais belas,
Como no céu a criadora lua
Vence na luz as vívidas estrelas.

Gentil nasceste por desgraça tua;
Eu covarde nasci; tu me seguiste;
E ardeu a guerra desabrida e crua.

Um dia o rosto carregado e triste
À taba de teus pais volveste, o rosto
Com que alegre e feliz dali fugiste.

Tinha expirado o passageiro gosto,
Ou o sangue dos teus, correndo a fio,
Em teu seio outro afeto havia posto.

Mas, ou fosse remorso, ou já fastio,
Ias-te agora leve e descuidada,
Como folha que o vento entrega ao rio.

Oh! corça minha fugitiva e amada!
Anhangá te guiou por mau caminho,
E a morte pôs na minha mão fechada.

Feriu-me da vingança agudo espinho;
E fiz-te padecer tão cruas penas,
Que inda me dói o coração mesquinho.

Ao contemplar aquelas tristes cenas
As aves, de piedosas e sentidas,
Chorando foram sacudindo as penas.

Não viu o cedro ali correr perdidas
Lágrimas de materno amado seio;
Viu somente morrer a flor das vidas.

O que mais houve da floresta em meio
O sinistro espetáculo, decerto
Nenhum estranho contemplá-lo veio.

Mas, se alguém penetrasse no deserto,
Vira cair pesadamente a massa
Do corpo do guerreiro; e o crânio aberto,

Como se fora derramada taça
Pela terra jazer, ali chamando
O feio grasno do urubu que passa.

Em vão a arma do golpe irão buscando,
Nenhuma ouve; nem guerreiro ousado
A tua morte ali foi castigando.

Talvez, talvez Tupã, desconsolado
A pena contemplou maior do que era
O delito; e de cólera tomado,

Ao mais alto dos Andes estendera
O forte braço, e da árvore mais forte
A seta e o arco vingador colhera;

As pontas lhe dobrou, da mesma sorte
Que o junco dobra, sussurrando o vento,
E de um só tiro lhe enviou a morte".

Ia assim suspirando este lamento,
Quando subitamente a voz lhe cala,
Como se a dor lhe sufocara o alento.

No ar se perdera a lastimosa fala,
E o infeliz, condenado à noite escura,
Os dentes range e treme de encontrá-la.

Leva os olhos na viva aurora pura
Em que vê penetrar, já longe, aquela
Doce, mimosa, virginal figura.

Assim no campo a tímida gazela
Foge e se perde; assim no azul dos mares
Some-se e morre fugidia vela.

E nada mais se viu flutuar nos ares;
Que ele, bebendo as lágrimas que chora,
Na noute entrou dos imortais pesares,
E ela de todo mergulhou na aurora.

OCIDENTAIS

O DESFECHO

Prometeu sacudiu os braços manietados
E súplice pediu a eterna compaixão,
Ao ver o desfilar dos séculos que vão
Pausadamente, como um dobre de finados.

Mais dez, mais cem, mais mil e mais um bilião,
Uns cingidos de luz, outros ensanguentados...
Súbito, sacudindo as asas de tufão,
Fita-lhe a águia em cima os olhos espantados.

Pela primeira vez a víscera do herói,
Que a imensa ave do céu perpetuamente rói,
Deixou de renascer às raivas que a consomem.

Uma invisível mão as cadeias dilui;
Frio, inerte, ao abismo um corpo morto rui;
Acabara o suplício e acabara o homem.

CÍRCULO VICIOSO

Bailando no ar, gemia inquieto vaga-lume:
"Quem me dera que fosse aquela loura estrela,
Que arde no eterno azul, como uma eterna vela!"
Mas a estrela, fitando a lua, com ciúme:

"Pudesse eu copiar o transparente lume,
Que, da grega coluna à gótica janela,
Contemplou, suspirosa, a fronte amada e bela!"
Mas a lua, fitando o sol, com azedume:

"Mísera! tivesse eu aquela enorme, aquela
Claridade imortal, que toda a luz resume!"
Mas o sol, inclinando a rútila capela:

"Pesa-me esta brilhante auréola de nume...
Enfara-me esta azul e desmedida umbela...
Por que não nasci eu um simples vaga-lume?"

UMA CRIATURA

Sei de uma criatura antiga e formidável,
Que a si mesma devora os membros e as entranhas
Com a sofreguidão da fome insaciável.

Habita juntamente os vales e as montanhas;
E no mar, que se rasga, à maneira de abismo,
Espreguiça-se toda em convulsões estranhas.

Traz impresso na fronte o obscuro despotismo;
Cada olhar que despede, acerbo e mavioso,
Parece uma expansão de amor e de egoísmo.

Friamente contempla o desespero e o gozo,
Gosta do colibri, como gosta do verme,
E cinge ao coração o belo e o monstruoso.

Para ela o chacal é, como a rola, inerme;
E caminha na terra imperturbável, como
Pelo vasto areal um vasto paquiderme.

Na árvore que rebenta o seu primeiro gomo
Vem a folha, que lento e lento se desdobra,
Depois a flor, depois o suspirado pomo.

Pois essa criatura está em toda a obra:
Cresta o seio da flor e corrompe-lhe o fruto;
E é nesse destruir que as suas forças dobra.

Ama de igual amor o poluto e o impoluto;
Começa e recomeça uma perpétua lida,
E sorrindo obedece ao divino estatuto.
Tu dirás que é a Morte; eu direi que é a Vida.

A ARTUR DE OLIVEIRA, ENFERMO

Sabes tu de um poeta enorme
    Que andar não usa
No chão, e cuja estranha musa,
    Que nunca dorme,

Calça o pé, melindroso e leve,
    Como uma pluma,
De folha e flor, de sol e neve,
    Cristal e espuma;

E mergulha, como Leandro,
    A forma rara
No Pó, no Sena, em Guanabara
    E no Escamandro;

Ouve a Tupã e escuta a Momo,
    Sem controvérsia,
E tanto ama o trabalho, como
    Adora a inércia;

Ora do fuste, ora da ogiva,
    Sair parece;
Ora o Deus do ocidente esquece
    Pelo deus Siva;

Gosta do estrépito infinito,
    Gosta das longas
Solidões em que se ouve o grito
    Das arapongas;

E, se ama o lépido besouro,
    Que zumbe, zumbe,
E a mariposa que sucumbe
    Na flama de ouro,

Vaga-lumes e borboletas,
    Da cor da chama,
Roxas, brancas, rajadas, pretas,
    Não menos ama

Os hipopótamos tranquilos,
    E os elefantes,
E mais os búfalos nadantes
    E os crocodilos,

Como as girafas e as panteras,
    Onças, condores,
Toda a casta de bestas-feras
    E voadores.

Se não sabes quem ele seja
    Trepa de um salto,
Azul acima, onde mais alto
    A águia negreja;

Onde morre o clamor iníquo
    Dos violentos,
Onde não chega o riso oblíquo
    Dos fraudulentos;

Então, olha de cima posto
    Para o oceano,
Verás num longo rosto humano
    Teu próprio rosto.

E hás de rir, não do riso antigo
    Potente e largo,
Riso de eterno moço amigo,
    Mas de outro amargo,

Como o riso de um deus enfermo
    Que se aborrece
Da divindade, e que apetece
    Também um termo...

MUNDO INTERIOR

Ouço que a natureza é uma lauda eterna
De pompa, de fulgor, de movimento e lida,
Uma escala de luz, uma escala de vida
    De sol à ínfima luzerna.

Ouço que a natureza, – a natureza externa, –
Tem o olhar que namora, e o gesto que intimida
Feiticeira que ceva uma hidra de Lerna
    Entre as flores da bela Armida.

E contudo, se fecho os olhos, e mergulho
Dentro em mim, vejo à luz de outro sol, outro abismo
Em que um mundo mais vasto, armado de outro orgulho,

Rola a vida imortal e o eterno cataclismo,
E, como o outro, guarda em seu âmbito enorme,
Um segredo que atrai, que desafia – e dorme.

O CORVO
(Edgar Poe)

Em certo dia, à hora, à hora
Da meia-noite que apavora,
Eu, caindo de sono e exausto de fadiga,
Ao pé de muita lauda antiga,
De uma velha doutrina, agora morta,
Ia pensando, quando ouvi à porta
Do meu quarto um soar devagarinho,
E disse estas palavras tais:
"É alguém que me bate à porta de mansinho;
Há de ser isso e nada mais".

Ah! bem me lembro! bem me lembro!
Era no glacial dezembro;
Cada brasa do lar sobre o chão refletia
A sua última agonia.
Eu, ansioso pelo sol, buscava
Sacar daqueles livros que estudava
Repouso (em vão!) à dor esmagadora
Destas saudades imortais
Pela que ora nos céus anjos chamam Lenora.
E que ninguém chamará mais.

E o rumor triste, vago, brando
Das cortinas ia acordando
Dentro em meu coração um rumor não sabido,
Nunca por ele padecido.
Enfim, por aplacá-lo aqui no peito,
Levantei-me de pronto, e: "Com efeito,
(Disse) é visita amiga e retardada
Que bate a estas horas tais.
É visita que pede à minha porta entrada:
Há de ser isso e nada mais".

Minh'alma então sentiu-se forte;
Não mais vacilo e desta sorte
Falo: "Imploro de vós, – ou senhor ou senhora,
Me desculpeis tanta demora.
Mas como eu, precisando de descanso,
Já cochilava, e tão de manso e manso
Batestes, não fui logo, prestemente,
Certificar-me que aí estais".
Disse; a porta escancaro, acho a noite somente,
Somente a noite, e nada mais.

Com longo olhar escruto a sombra,
Que me amedronta, que me assombra,
E sonho o que nenhum mortal há já sonhado,
Mas o silêncio amplo e calado,
Calado fica; a quietação quieta;
Só tu, palavra única e dileta,
Lenora, tu, como um suspiro escasso,
Da minha triste boca sais;
E o eco, que te ouviu, murmurou-te no espaço;
Foi isso apenas, nada mais.

    Entro co'a alma incendiada.
    Logo depois outra pancada
Soa um pouco mais forte; eu, voltando-me a ela:
    "Seguramente, há na janela
    Alguma cousa que sussurra. Abramos,
    Eia, fora o temor, eia, vejamos
    A explicação do caso misterioso
    Dessas duas pancadas tais.
Devolvamos a paz ao coração medroso,
    Obra do vento e nada mais".

    Abro a janela, e de repente,
    Vejo tumultuosamente
Um nobre corvo entrar, digno de antigos dias.
    Não despendeu em cortesias
    Um minuto, um instante. Tinha o aspecto
    De um *lord* ou de uma *lady*. E pronto e reto,
    Movendo no ar as suas negras alas,
    Acima voa dos portais,
Trepa, no alto da porta, em um busto de Palas;
    Trepado fica, e nada mais.

    Diante da ave feia e escura,
    Naquela rígida postura,
Com o gesto severo, – o triste pensamento
    Sorriu-me ali por um momento,
    E eu disse: "Ó tu que das noturnas plagas
    Vens, embora a cabeça nua tragas,
    Sem topete, não és ave medrosa,
    Dize os teus nomes senhoriais;
Como te chamas tu na grande noite umbrosa?"
    E o corvo disse: "Nunca mais".

Vendo que o pássaro entendia
A pergunta que lhe eu fazia,
Fico atônito, embora a resposta que dera
Dificilmente lha entendera.
Na verdade, jamais homem há visto
Cousa na terra semelhante a isto:
Uma ave negra, friamente posta
Num busto, acima dos portais,
Ouvir uma pergunta e dizer em resposta
Que este é seu nome: "Nunca mais".

No entanto, o corvo solitário
Não teve outro vocabulário,
Como se essa palavra escassa que ali disse
Toda a sua alma resumisse.
Nenhuma outra proferiu, nenhuma,
Não chegou a mexer uma só pluma,
Até que eu mumurei: "Perdi outrora
Tantos amigos tão leais!
Perderei também este em regressando a aurora".
E o corvo disse: "Nunca mais!"

Estremeço. A resposta ouvida
É tão exata! é tão cabida!
Certamente, digo eu, essa é toda a ciência
Que ele trouxe da convivência
De algum mestre infeliz e acabrunhado
Que o implacável destino há castigado
Tão tenaz, tão sem pausa, nem fadiga,
Que dos seus cantos usuais
Só lhe ficou, na amarga e última cantiga,
Esse estribilho: "Nunca mais".

    Segunda vez, nesse momento,
    Sorriu-me o triste pensamento;
Vou sentar-me defronte ao corvo magro e rudo;
    E mergulhando no veludo
   Da poltrona que eu mesmo ali trouxera
   Achar procuro a lúgubre quimera,
   A alma, o sentido, o pávido segredo
    Daquelas sílabas fatais,
Entender o que quis dizer a ave do medo
    Grasnando a frase: "Nunca mais".

    Assim posto, devaneando,
    Meditando, conjecturando,
Não lhe falava mais; mas, se lhe não falava,
    Sentia o olhar que me abrasava.
   Conjecturando fui, tranquilo a gosto,
   Com a cabeça no macio encosto
   Onde os raios da lâmpada caíam,
    Onde as tranças angelicais
De outra cabeça outrora ali se desparziam,
    E agora não se esparzem mais.

    Supus então que o ar, mais denso,
    Todo se enchia de um incenso,
Obra de serafins que, pelo chão roçando
    Do quarto, estavam meneando
   Um ligeiro turíbulo invisível:
   E eu exclamei então: "Um Deus sensível
   Manda repouso à dor que te devora
    Destas saudades imortais.
Eia, esquece, eia, olvida essa extinta Lenora".
    E o corvo disse: "Nunca mais".

"Profeta, ou o que quer que sejas!
Ave ou demônio que negrejas!
Profeta sempre, escuta: Ou venhas tu do inferno
Onde reside o mal eterno,
Ou simplesmente náufrago escapado
Venhas do temporal que te há lançado
Nesta casa onde o Horror, o Horror profundo
Tem os seus lares triunfais,
Dize-me: existe acaso um bálsamo no mundo?"
E o corvo disse: "Nunca mais".

"Profeta, ou o que quer que sejas!
Ave ou demônio que negrejas!
Profeta sempre, escuta, atende, escuta, atende!
Por esse céu que além se estende,
Pelo Deus que ambos adoramos, fala,
Dize a esta alma se é dado inda escutá-la
No Éden celeste a virgem que ela chora
Nestes retiros sepulcrais,
Essa que ora nos céus anjos chamam Lenora!"
E o corvo disse: "Nunca mais".

"Ave ou demônio que negrejas!
Profeta, ou o que quer que sejas!
Cessa, ai, cessa! clamei, levantando-me, cessa!
Regressa ao temporal, regressa
À tua noite, deixa-me comigo.
Vai-te, não fique no meu casto abrigo
Pluma que lembre essa mentira tua.
Tira-me ao peito essas fatais
Garras que abrindo vão a minha dor já crua."
E o corvo disse: "Nunca mais".

E o corvo aí fica; ei-lo trepado
No branco mármore lavrado
Da antiga Palas; ei-lo imutável, ferrenho.
Parece, ao ver-lhe o duro cenho,
Um demônio sonhando. A luz caída
Do lampião sobre a ave aborrecida
No chão espraia a triste sombra; e, fora
Daquelas linhas funerais
Que flutuam no chão, a minha alma que chora
Não sai mais, nunca, nunca mais!

PERGUNTAS SEM RESPOSTA

Vênus formosa, Vênus fulgurava
No azul do céu da tarde que morria,
Quando à janela os braços encostava
    Pálida Maria.

Ao ver o noivo pela rua umbrosa,
Os longos olhos ávidos enfia,
E fica de repente cor-de-rosa
    Pálida Maria.

Correndo vinha no cavalo baio,
Que ela de longe apenas distinguia,
Correndo vinha o noivo, como um raio...
    Pálida Maria!

Três dias são, três dias são apenas,
Antes que chegue o suspirado dia,
Em que eles porão termo às longas penas...
    Pálida Maria!

De confusa, naquele sobressalto,
Que a presença do amado lhe trazia,
Olhos acesos levantou ao alto
    Pálida Maria.

E foi subindo, foi subindo acima
No azul do céu da tarde que morria,
A ver se achava uma sonora rima...
    Pálida Maria!

Rima de amor, ou rima de ventura,
As mesmas são na escala da harmonia.
Pousa os olhos em Vênus que fulgura
    Pálida Maria.

E o coração, que de prazer lhe bate,
Acha no astro a fraterna melodia
Que à natureza inteira dá rebate...
    Pálida Maria!

Maria pensa: "Também tu, decerto,
Esperas ver, neste final do dia,
Um noivo amado que cavalga perto,
    Pálida Maria?"

Isto dizendo, súbito escutava
Um estrépito, um grito e vozeria,
E logo a frente em ânsias inclinava
    Pálida Maria.

Era o cavalo, rábido, arrastando
Pelas pedras o noivo que morria;
Maria o viu e desmaiou gritando...
    Pálida Maria!

Sobem o corpo, vestem-lhe a mortalha,
E a mesma noiva, semimorta e fria,
Sobre ele as folhas do noivado espalha.
    Pálida Maria!

Cruzam-se as mãos, na derradeira prece
Muda que o homem para cima envia,
Antes que desça à terra em que apodrece.
    Pálida Maria!

Seis homens tomam do caixão fechado
E vão levá-lo à cova que se abria;
Terra e cal e um responso recitado...
    Pálida Maria!

Quando, três sóis passados, rutilava
A mesma Vênus, no morrer do dia,
Tristes olhos ao alto levantava
    Pálida Maria.

E murmurou: "Tens a expressão do goivo,
Tens a mesma roaz melancolia;
Certamente perdeste o amor e o noivo,
    Pálida Maria?"

Vênus, porém, Vênus brilhante e bela,
Que nada ouvia, nada respondia,
Deixa rir ou chorar numa janela
    Pálida Maria.

LINDOIA

Vem, vem das águas, mísera Moema,
Senta-te aqui. As vozes lastimosas
Troca pelas cantigas deleitosas,
Ao pé da doce e pálida Coema.

Vós, sombras de Iguaçu e de Iracema,
Trazei nas mãos, trazei no colo as rosas
Que amor desabrochou e fez viçosas
Nas laudas de um poema e outro poema.

Chegai, folgai, cantai. É esta, é esta
De Lindoia, que a voz suave e forte
Do vate celebrou, a alegre festa.

Além do amável, gracioso porte,
Vede o mimo, a ternura que lhe resta.
Tanto inda é bela no seu rosto a morte!

SUAVE MARI MAGNO

Lembra-me que, em certo dia,
Na rua, ao sol de verão,
Envenenado morria
    Um pobre cão.

Arfava, espumava e ria,
De um riso espúrio e bufão,
Ventre e pernas sacudia
    Na convulsão.

Nenhum, nenhum curioso
Passava, sem se deter,
    Silencioso,

Junto ao cão que ia morrer
Como se lhe desse gozo
    Ver padecer.

A MOSCA AZUL

Era uma mosca azul, asas de ouro e granada,
    Filha da China ou do Indostão,
Que entre as folhas brotou de uma rosa encarnada,
    Em certa noite de verão.

E zumbia, e voava, e voava, e zumbia,
    Refulgindo ao clarão do sol
E da lua, – melhor do que refulgiria
    Um brilhante do Grão-Mogol.

Um poleá que a viu, espantado e tristonho,
    Um poleá lhe perguntou:
"Mosca, esse refulgir, que mais parece um sonho,
    Dize, quem foi que to ensinou?"

Então ela, voando, e revoando, disse:
    "Eu sou a vida, eu sou a flor
Das graças, o padrão da eterna meninice,
    E mais a glória, e mais o amor".

E ele deixou-se estar a contemplá-la, mudo,
    E tranquilo, como um faquir,
Como alguém que ficou deslembrado de tudo,
    Sem comparar, nem refletir.

Entre as asas do inseto, a voltear no espaço,
    Uma cousa lhe pareceu
Que surdia, com todo o resplendor de um paço.
    E viu um rosto, que era o seu.

Era ele, era um rei, o rei de Cachemira,
    Que tinha sobre o colo nu
Um imenso colar de opala, e uma safira
    Tirada ao corpo de Vichnu.

Cem mulheres em flor, cem nairas superfinas,
    Aos pés dele, no liso chão,
Espreguiçam sorrindo as suas graças finas,
    E todo o amor que têm lhe dão.

Mudos, graves, de pé, cem etíopes feios,
    Com grandes leques de avestruz,
Refrescam-lhes de manso os aromados seios,
    Voluptuosamente nus.

Vinha a glória depois; – quatorze reis vencidos,
    E enfim as páreas triunfais
De trezentas nações, e os parabéns unidos
    Das coroas ocidentais.

Mas o melhor de tudo é que no rosto aberto
    Das mulheres e dos varões,
Como em água que deixa o fundo descoberto,
    Via limpos os corações.

Então ele, estende a mão calosa e tosca,
   Afeita a só carpintejar,
Com um gesto pegou na fulgurante mosca,
   Curioso de a examinar.

Quis vê-la, quis saber a causa do mistério.
   E, fechando-a na mão, sorriu
De contente, ao pensar que ali tinha um império,
   E para casa se partiu.

Alvoroçado chega, examina, e parece
   Que se houve nessa ocupação
Miudamente, como um homem que quisesse
   Dissecar a sua ilusão.

Dissecou-a, a tal ponto, e com tal arte, que ela,
   Rota, baça, nojenta, vil,
Sucumbiu; e com isto esvaiu-se-lhe aquela
   Visão fantástica e subtil.

Hoje, quando ele aí vai, de aloé e cardamomo
   Na cabeça, com ar taful,
Dizem que ensandeceu, e que não sabe como
   Perdeu a sua mosca azul.

ANTÔNIO JOSÉ
(21 de outubro de 1739)

Antônio, a sapiência da Escritura
Clama que há para a humana criatura
Tempo de rir e tempo de chorar,
Como há um sol no ocaso, e outro na aurora.
Tu, sangue de Efraim e de Issacar,
    Pois que já riste, chora.

SPINOZA

Gosto de ver-te, grave e solitário,
Sob o fumo de esquálida candeia,
Nas mãos a ferramenta de operário,
E na cabeça a coruscante ideia.

E enquanto o pensamento delineia
Uma filosofia, o pão diário
A tua mão a labutar granjeia
E achas na independência o teu salário.

Soem cá fora agitações e lutas,
Sibile o bafo aspérrimo do inverno,
Tu trabalhas, tu pensas, e executas

Sóbrio, tranquilo, desvelado e terno,
A lei comum, e morres, e transmutas
O suado labor no prêmio eterno.

GONÇALVES CRESPO

Esta musa da pátria, esta saudosa
 Níobe dolorida,
 Esquece acaso a vida,
Mas não esquece a morte gloriosa.

 E pálida, e chorosa,
Ao Tejo voa, onde no chão caída
 Jaz aquela evadida
Lira da nossa América viçosa.

Com ela torna, e, dividindo os ares,
Trépido, mole, doce movimento
Sente nas frouxas cordas singulares.

 Não é a asa do vento,
Mas a sombra do filho, no momento
De entrar perpetuamente os pátrios lares.

ALENCAR

Hão de os anos volver, – não como as neves
De alheios climas, de geladas cores;
Hão de os anos volver, mas como as flores,
Sobre o teu nome, vívidos e leves...

Tu, cearense musa, que os amores
Meigos e tristes, rústicos e breves,
Da indiana escreveste, – ora os escreves
No volume dos pátrios esplendores.

E ao tornar este sol, que te há levado,
Já não acha a tristeza. Extinto é o dia
Da nossa dor, do nosso amargo espanto.

Porque o tempo implacável e pausado,
Que o homem consumiu na terra fria,
Não consumiu o engenho, a flor, o encanto...

CAMÕES

I

Tu quem és? Sou o século que passa.
Quem somos nós? A multidão fremente.
Que cantamos? A glória resplendente.
De quem? De quem mais soube a força e a graça.

Que cantou ele? A vossa mesma raça.
De que modo? Na lira alta e potente.
A quem amou? A sua forte gente.
Que lhe deram? Penúria, ermo, desgraça.

Nobremente sofreu? Como homem forte.
Esta imensa oblação?... É-lhe devida.
Paga?... Paga-lhe toda a adversa sorte.

Chama-se a isto? A glória apetecida.
Nós, que o cantamos?... Volvereis à morte.
Ele, que é morto?... Vive a eterna vida.

II

Quando, transposta a lúgubre morada
Dos castigos, ascende o florentino
À região onde o clarão divino
Enche de intensa luz a alma nublada,

A saudosa Beatriz, a antiga amada,
A mão lhe estende e guia o peregrino,
E aquele olhar etéreo e cristalino
Rompe agora da pálpebra sagrada.

Tu que também o Purgatório andaste,
Tu que rompeste os círculos do Inferno,
Camões, se o teu amor fugir deixaste,

Ora o tens, como um guia alto e superno,
Que a Natércia da vida que choraste
Chama-se Glória e tem o amor eterno.

III

Quando, torcendo a chave misteriosa
Que os cancelos fechava do Oriente,
O Gama abriu a nova terra ardente
Aos olhos da companha valorosa,

Talvez uma visão resplandecente
Lhe amostrou no futuro a sonorosa
Tuba, que cantaria a ação famosa
Aos ouvidos da própria e estranha gente.

E disse: "Se já noutra, antiga idade,
Troia bastou aos homens, ora quero
Mostrar que é mais humana a humanidade.

Pois não serás herói de um canto fero,
Mas vencerás o tempo e a imensidade
Na voz de outro moderno e brando Homero".

IV

Um dia, junto à foz de brando e amigo
Rio de estranhas gentes habitado,
Pelos mares aspérrimos levado,
Salvaste o livro que viveu contigo.

E esse que foi às ondas arrancado,
Já livre agora do mortal perigo,
Serve de arca imortal, de eterno abrigo,
Não só a ti, mas ao teu berço amado.

Assim, um homem só, naquele dia,
Naquele escasso ponto do universo,
Língua, história, nação, armas, poesia,

Salva das frias mãos do tempo adverso.
E tudo aquilo agora o desafia.
E tão sublime preço cabe em verso.

1802-1885

Um dia, celebrando o gênio e a eterna vida,
Vitor Hugo escreveu numa página forte
Estes nomes que vão galgando a eterna morte,
Isaías, a voz de bronze, alma saída
Da coxa de Davi; Ésquilo que a Orestes
E a Prometeu, que sofre as vinganças celestes
Deu a nota imortal que abala e persuade,
E transmite o terror, como excita a piedade.
Homero, que cantou a cólera potente
De Aquiles, e colheu as lágrimas troianas
Para glória maior da sua amada gente,
E com ele Virgílio e as graças virgilianas;
Juvenal que marcou com ferro em brasa o ombro
Dos tiranos, e o velho e grave florentino,
Que mergulha no abismo, e caminha no assombro,
Baixa humano ao inferno e regressa divino;
Logo após Calderón, e logo após Cervantes;
Voltaire, que mofava, e Rabelais que ria;
E, para coroar esses nomes vibrantes,
Shakespeare, que resume a universal poesia.

E agora que ele aí vai, galgando a eterna morte,
Pega a História da pena e na página forte,
Para continuar a série interrompida,
Escreve o nome dele, e dá-lhe a eterna vida.

JOSÉ DE ANCHIETA

Esse que as vestes ásperas cingia,
E a viva flor da ardente juventude
Dentro do peito a todos escondia;

Que em páginas de areia vasta e rude
Os versos escrevia e encomendava
À mente, como esforço de virtude;

Esse nos rios de Babel achava,
Jerusalém, os cantos primitivos,
E novamente aos ares os cantava.

Não procedia então como os cativos
De Sião, consumidos de saudade,
Velados de tristeza, e pensativos.

Os cantos de outro clima e de outra idade
Ensinava sorrindo às novas gentes,
Pela língua do amor e da piedade.

E iam caindo os versos excelentes
No abençoado chão, e iam caindo
Do mesmo modo as místicas sementes.

Nas florestas os pássaros, ouvindo
O nome de Jesus e os seus louvores,
Iam cantando o mesmo canto lindo.

Eram as notas como alheias flores
Que verdejam no meio de verduras
De diversas origens e primores.

Anchieta, soltando as vozes puras,
Achas outra Sião neste hemisfério,
E a mesma fé e igual amor apuras.

Certo, ferindo as cordas do saltério,
Unicamente contas divulgá-la
A palavra cristã e o seu mistério.

Trepar não cuidas a luzente escala
Que aos heróis cabe e leva à clara esfera
Onde eterna se faz a humana fala.

Onde os tempos não são esta quimera
Que apenas brilha e logo se esvaece,
Como folhas de escassa primavera.

Onde nada se perde nem se esquece,
E no dorso dos séculos trazido
O nome de Anchieta resplandece
Ao vivo nome do Brasil unido.

SONETO DE NATAL

Um homem, – era aquela noite amiga,
Noite cristã, berço do Nazareno, –
Ao relembrar os dias de pequeno,
E a viva dança, e a lépida cantiga,

Quis transportar ao verso doce e ameno
As sensações da sua idade antiga,
Naquela mesma velha noite amiga,
Noite cristã, berço do Nazareno.

Escolheu o soneto... A folha branca
Pede-lhe a inspiração; mas, frouxa e manca,
A pena não acode ao gesto seu.

E, em vão lutando contra o metro adverso,
Só lhe saiu este pequeno verso:
"Mudaria o Natal ou mudei eu?"

A FELÍCIO DOS SANTOS

Felício amigo, se eu disser que os anos
Passam correndo ou passam vagarosos,
Segundo são alegres ou penosos,
Tecidos de afeições ou desenganos,

"Filosofia é esta de rançosos!"
Dirás. Mas não há outra entre os humanos.
Não se contam sorrisos pelos danos,
Nem das tristezas desabrocham gozos.

Banal, confesso. O precioso e o raro
É, seja o céu nublado ou seja claro,
Tragam os tempos amargura ou gosto,

Não desdizer do mesmo velho amigo,
Ser com os teus o que eles são contigo,
Ter um só coração, ter um só rosto.

MARIA

Maria, há no seu gesto airoso e nobre,
Nos olhos meigos e no andar tão brando,
Um não sei quê suave que descobre,
Que lembra um grande pássaro marchando.

Quero, às vezes, pedir-lhe que desdobre
As asas, mas não peço, reparando
Que, desdobradas, podem ir voando
Levá-la ao teto azul que a terra cobre.

E penso então, e digo então comigo:
"Ao céu, que vê passar todas as gentes
Bastem outros primores de valia.

Pássaro ou moça, fique o olhar amigo,
O nobre gesto e as graças excelentes
Da nossa cara e lépida Maria".

A UMA SENHORA QUE ME PEDIU VERSOS

Pensa em ti mesma, acharás
    Melhor poesia,
Viveza, graça, alegria,
    Doçura e paz.

Se já dei flores um dia,
    Quando rapaz,
As que ora dou têm assaz
    Melancolia.

Uma só das horas tuas
    Valem um mês
Das almas já ressequidas.

    Os sóis e as luas
Creio bem que Deus os fez
    Para outras vidas.

NO ALTO

O poeta chegara ao alto da montanha,
E quando ia a descer a vertente do oeste,
    Viu uma cousa estranha,
    Uma figura má.

Então, volvendo o olhar ao sutil, ao celeste,
Ao gracioso Ariel, que de baixo o acompanha,
    Num tom medroso e agreste
    Pergunta o que será.

Como se perde no ar um som festivo e doce,
    Ou bem como se fosse
    Um pensamento vão,

Ariel se desfez sem lhe dar mais resposta.
    Para descer a encosta
    O outro estendeu-lhe a mão.

DISPERSAS

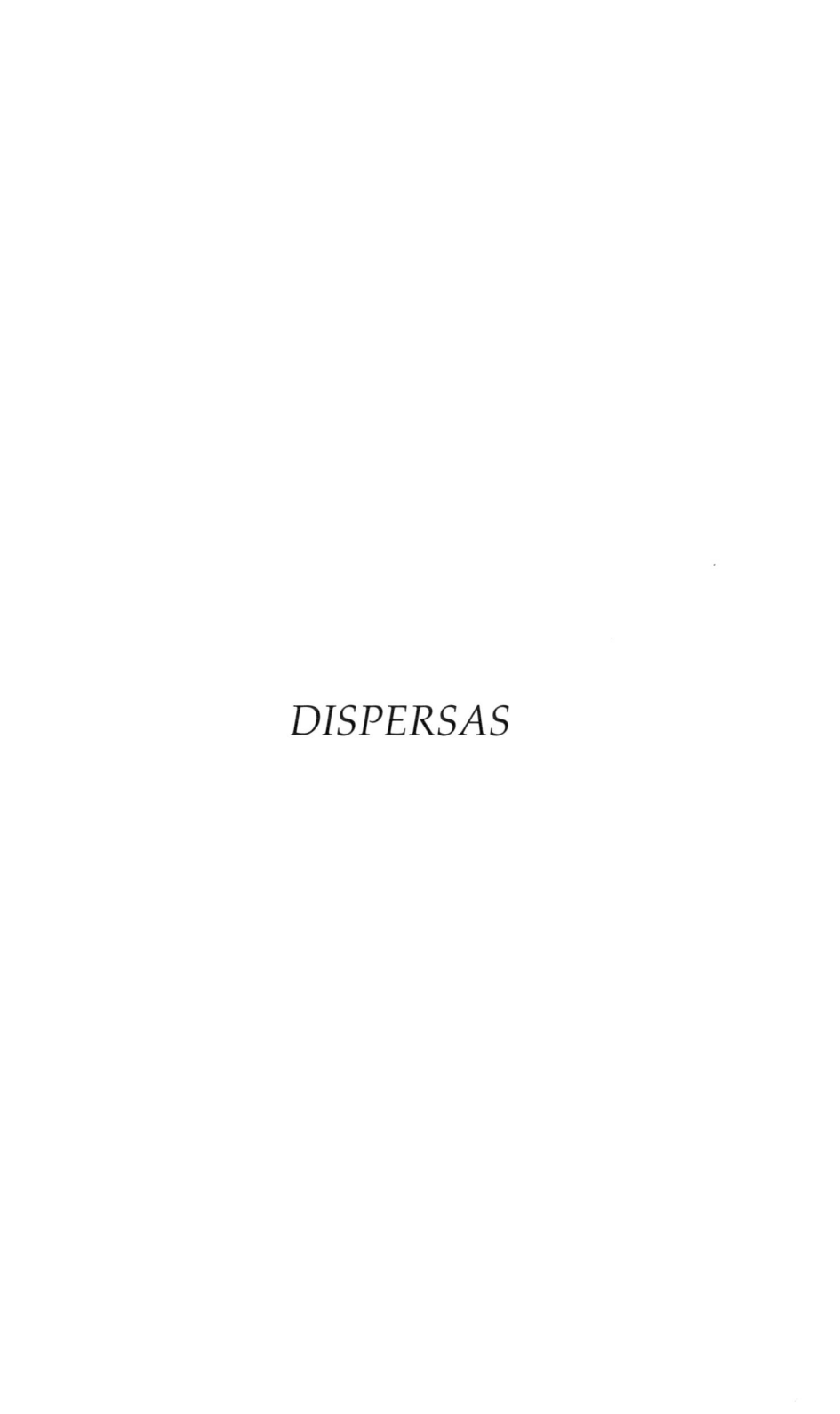

FASCINAÇÃO

Tes lèvres, sans parler, me disaient: – Que je t'aime!
Et ma bouche muette ajoutait: – Je te crois!

                        Mme. Desbordes-Valmore

A vez primeira que te ouvi dos lábios
Uma singela e doce confissão,
E que travadas nossas mãos, eu pude
Ouvir bater teu casto coração,

Menos senti do que senti na hora
Em que, humilde – curvado ao teu poder,
Minha ventura e minha desventura
Pude, senhora, nos teus olhos ler.

Então, como por vínculo secreto,
Tanto no teu amor me confundi,
Que um sono puro me tomou da vida
E ao teu olhar, senhora, adormeci.

É que os olhos, melhor que os lábios, falam
Verbo sem som, à alma que é de luz
– Ante a fraqueza da palavra humana –
O que há de mais divino o olhar traduz.

Por ti, nessa união íntima e santa,
Como a um toque de graça do Senhor,
Ergui minh'alma que dormiu nas trevas,
E me sagrei na luz do teu amor.

Quando a tua voz puríssima – dos lábios,
De teus lábios já trêmulos correu,
Foi alcançar-me o espírito encantado
Que abrindo as asas demandara o céu.

De tanta embriaguez, de tanto sonho
Que nos resta? Que vida nos ficou?
Uma triste e vivíssima saudade...
Essa ao menos o tempo a não levou.

Mas, se é certo que a baça mão da morte
A outra vida melhor nos levará,
Em Deus, minh'alma adormeceu contigo,
Em Deus, contigo um dia acordará.

DAQUI DESTE ÂMBITO ESTREITO

Daqui, deste âmbito estreito,
Cheio de risos e galas,
Daqui, onde alegres falas
Soam na alegre amplidão,
Volvei os olhos, volvei-os
A regiões mais sombrias,
Vereis cruéis agonias,
Terror da humana razão.

Trêmulos braços alçando,
Entre os da morte e os da vida,
Solta a voz esmorecida,
Sem pão, sem água, sem luz,
Um povo de irmãos, um povo
Desta terra brasileira,
Filhos da mesma bandeira,
Remidos na mesma cruz.

A terra lhes foi avara,
A terra a tantos fecunda;
Veio a miséria profunda,
A fome, o verme voraz.
A fome? Sabeis acaso
O que é a fome, esse abutre
Que em nossas carnes se nutre
E a fria morte nos traz?

Ao céu, com trêmulos lábios,
Em seus tormentos atrozes,
Ergueram súplices vozes,
Gritos de dor e aflição;
Depois as mãos estendendo,
Naquela triste orfandade,
Vêm implorar caridade,
Mais que à bolsa, ao coração.

O coração... sois vós todos,
Vós que as súplicas ouvistes;
Vós que às misérias tão tristes
Lançais tão espesso véu.
Choverão bênçãos divinas
Aos vencedores da luta:
De cada lágrima enxuta
Nasce uma graça do céu.

À MEMÓRIA DO ATOR TASSO

Vós que esta sala encheis, e a lágrima sentida
E o riso de prazer conosco misturais,
E depois de viver da nossa mesma vida
Ao lar tranquilo e bom contentes regressais;

Que perdeis? Um noute; algumas horas. Tudo,
Alma, vida, razão, tudo vos damos nós:
Um perpétuo lidar, um continuado estudo,
Que um só prêmio conhece, um fim único: vós.

E este chão, que juncais de generosas flores,
É nossa alegre estrada, e vamos sem sentir,
Sem jamais indagar as encobertas dores
Que em seu seio nos traz o sombrio porvir.

Além, além do mar que separa dous mundos,
Um artista que foi glória nossa e padrão,
Quando à terra subiu dos êxtases profundos
Terna esposa deixou na mágoa e na aflição.

Hoje, que vos convida uma intenção piedosa,
Que escutais de além-mar uma súplice voz,
Hoje, a mão estendeis à desvalida esposa;
Obrigada por ele! obrigada por nós!

NAQUELE ETERNO AZUL, ONDE COEMA

Naquele eterno azul, onde Coema,
Onde Lindoia, sem temor dos anos,
Erguem os olhos plácidos e ufanos,
Também os ergue a límpida Iracema.

Elas foram, nas águas do poema,
Cantadas pela voz de americanos,
Mostrar às gentes de outros oceanos
Joias do nosso rútilo diadema.

E, quando a magna voz inda afinavas
Foges-nos, como se a chamar sentiras
A voz da glória pura que esperavas.

O cantor do *Uruguai* e o dos *Timbiras*
Esperavam por ti, tu lhes faltavas
Para o concerto das eternas liras.

A DERRADEIRA INJÚRIA

> E ainda, ninfas minhas, não bastava...
> Camões, *Lus.*, VII, 81.

I

Vês um féretro posto em solitária igreja?
Esse pó que descansa, e se esconde, e se some,
Traz de um grande ministro o formidável nome,
Que em vivas letras de ouro e lágrimas flameja.

Lá fora uma invasão esquálida braceja,
Como um mar de miséria e luto, que tem fome,
E novas praias busca e novas praias come,
Enquanto a multidão, recuando, peleja.

O gaulês que persegue, o bretão que defende,
Duas mãos de um destino implacável e oculto,
Vão sangrando a nação exausta que se rende;

Dentre os mortos da história um só único vulto
Não ressurge; um Pacheco, um Castro não atende;
E a cobiça recolhe os despojos do insulto.

II

Ora, na solitária igreja em que se há posto
O féretro, se alguém pudesse ouvir, ouvira
Uma voz cavernosa e repassada de ira,
    De tristeza e desgosto.

    Era uma voz sem rosto,
Um eco sem rumor, uma nota sem lira.
Como que o suspirar do cadáver disposto
A rejeitar o leito eterno em que dormira.

E ninguém, salvo tu, ó pálido, ó suave
Cristo, ninguém, exceto uns três ou quatro santos,
Envolvidos e sós, nos seus sombrios mantos,

Ninguém ouvia em toda aquela escura nave
Dessa voz tão severa, e tão triste, e tão grave,
Murmurados a medo, as cóleras e os prantos.

III

E dizia essa voz: – "Eis, Lusitânia, a espada
Que reluz, como o sol, e como o raio, lança
Sobre a atônita Europa a morte ensanguentada.

"Venceu tudo; ei-la aí que te fere e te alcança,
Que te rasga e te põe na cabeça prostrada
O terrível sinal das legiões de França.

"E, como se o furor, e, como se a ruína
Não bastassem a dar-te a pena grande e inteira,
Vem juntar-se outra dor à tua dor primeira,
E o que a espada começa a tristeza termina.

"És o campo funesto e rude em que se afina
Pugna estranha; não tens a glória derradeira,
De devolver farpada e vencida a bandeira,
E ser Xerxes embora, ao pé de Salamina.

IV

"No entanto, ao longe, ao longe uma comprida história
    De batalhas e descobertas,
Um entrar de contínuo as portas da memória
    Escancaradamente abertas,

"Enchia esta nação, que aprendera a vitória
    Naquela crespa idade antiga,
Quando, em vez do repouso, era a lei da fadiga,
    E a glória coroava a glória.

"E assim foi, palmo a palmo, e reduto a reduto,
Que um punhado de heróis, que um embrião de povo
    Levantara este reino novo;

"E livre, independente, esse áspero produto
Da imensa forja pôde, achegando-se às plagas,
    Fitar ao longe as longas vagas.

V

"Era escasso o torrão; por compensar-lhe a míngua,
Assim foi que dobraste aquele oculto cabo,
Não sabido de Plínio, ignorado de Estrabo,
E que Homero cantou em uma nova língua.

"Assim foi que pudeste haver África adusta,
Ásia, e esse futuro e desmedido império,
Que no fecundo chão do recente hemisfério
A semente brotou da tua raça augusta.

"Eis, Lusitânia, a obra. Os séculos que a viram
Emergir, com o sol dos mares, e a poliram,
Transmitem-lhe a memória aos séculos futuros.

"Hoje a terra de heróis sofre a planta inimiga...
Quem pudera mandar aqueles peitos duros!
Quem soubera empregar aquela força antiga!"

VI

E depois de um silêncio: – "Um dia, um dia, um dia
Houve em que nesta nobre e antiga monarquia,
Um homem, – paz lhe seja e a quantos
                              [lhe consomem
A sagrada memória, – houve um dia em
                                  [que um homem.

"Posto ao lado do rei e ao lado do perigo
Viu abater o chão; viu as pedras candentes
Ruírem; viu o mal das cousas e das gentes,
E um povo inteiro nu de pão, de luz e abrigo.

"Esse homem, ao fitar uma cidade em ossos,
Terror, dissolução, crime, fome, penúria,
Não se deixou cair co'os últimos destroços.

"Opôs a força à força, opôs a pena à injúria,
Restituiu ao povo a perdida hombridade,
E donde era uma ruína ergueu uma cidade.

VII

"Esse homem eras tu, ó alma que repousas
Da cobiça, da glória e da ambição do mando,
Eras tu, que um destino, e propício, e nefando,
Ao fastígio elevou dos homens e das cousas.

"Eras tu que da sede ingrata de ministro
Fizeste um sólio ao pé do sólio; tu, sinistro
Ao passado, tu novo obreiro, áspero e duro,
Que traçavas no chão a planta do futuro.

"Tu querias fazer da história uma só massa
Nas tuas fortes mãos, tenazes como a vida,
    A massa obediente e nua.

    "A luminosa efígie tua
Quiseste dar-lhe, como à brônzea estátua erguida,
Que o século corteja, inda assustado, e passa.

VIII

"Contra aquele edifício velho
Da nobreza, – elevado ao lado do edifício
    Da monarquia e do evangelho, –
Tu puseste a reforma e puseste o suplício.

"Querias destruir o vício
Que a teus olhos roía essa fábrica enorme,
    E começaste o duro ofício
Contra o que era caduco, e contra o que era informe.

"Não te fez recuar nesse áspero duelo
Nem dos anos a flor, nem dos anos o gelo,
Nem dos olhos das mães as lágrimas sagradas.

"Nada; nem o negror austero da batina,
Nem as débeis feições da graça feminina
Pela veneração e pelo amor choradas.

IX

"Ah! se por um prodígio especial da sorte,
Pudesses emergir das entranhas da morte,
Cheio daquela antiga e fera gravidade,
    Com que salvaste uma cidade;

"Quem sabe? Não houvera em tão longa campanha
Ensanguentado o chão do luso a planta estranha,
Nem correra a nação tal dor e tais perigos
    Às mãos de amigos e inimigos.

"Tu serias o mesmo aspérrimo e impassível
Que viu, sem desmaiar, o conflito terrível
Da natureza escura e da escura alma humana;

"Que levantando ao céu a fronte soberana,
– "Eis o homem!" disseste, – e a garra do destino
Indelével te pôs o seu sinal divino".

X

E, soltado esse lamento
Ao pé do grande moimento,
Calou-se a voz, dolorida
    De indignação.

Nenhum outro som de vida
Naquela igreja escondida...
Era uma pausa, um momento
    De solidão.

E continuavam fora
A morte, dona e senhora
    Da multidão;

E devastava a batalha,
Como o temporal que espalha
    Folhas ao chão.

XI

E essa voz era a tua, ó triste e solitário
Espírito! eras tu, forte outrora e vibrante,
Que pousavas agora, – apenas cintilante, –
Sobre o féretro, como a luz de um lampadário.

Era tua essa voz do asilo mortuário,
Essa voz que esquecia o ódio triunfante
Contra o que havia feito a tua mão possante,
E a inveja que te deu o pontual salário.

E contigo falava uma nação inteira,
E gemia com ela a história, não a história
Que bajula ou destrói, que morde ou santifica.

Não; mas a história pura, austera, verdadeira,
Que de uma vida errada a parte que lhe fica
De glória, não esconde às ovações da glória.

XII

E, tendo emudecido essa garganta morta,
O silêncio voltara àquela nave escura,
Quando subitamente abre-se a velha porta,
E penetra na igreja uma estranha figura.

Depois outra, e mais outra, e mais três, e mais quatro.
E todas, estendendo os braços, vão abrindo
As trevas, costeando os muros, e seguindo
Como a conspiração nas tábuas de um teatro.

E param juntamente em derredor do leito
Último em que descansa esse único despojo
De uma vida, que foi uma longa batalha.

E enquanto um fere a luz que as tênebras espalha,
Outro, com gesto firme e firmíssimo arrojo,
Tomas nas cruas mãos aquele rei desfeito.

XIII

Então... O homem que viu arrancarem-lhe aos braços
Poder, glória, ambição, tudo o que amado havia;
Esse que foi o sol de um século, que um dia,
Um só dia bastou para fazer pedaços;

Que, se aos ombros atara uma púrpura nova,
Viu, farrapo a farrapo, arrancarem-lha aos ombros;
Que padecera em vida os últimos assombros,
Tinha ainda na morte uma última prova.

Era a brutal rapina, anônima, noturna,
Era a mão casual, que espedaçava a urna
A troco de um galão, a troco de uma espada;

Que, depois de tomar-lhe esses sinais funestos
Da sombra de um poder, pegou dos tristes restos,
Ossos só, e espalhou pela nave sagrada.

XIV

Assim pois, nada falta à glória deste mundo,
Nem a perseguição repleta de ódio e sanha,
Nem a fértil inveja, a lívida companha,
De tudo o que radia e tudo que é profundo.

Nada falta ao poder, quando o poder acaba;
Nada; nem a calúnia, o escárnio, a injúria, a intriga,
E, por triste coroa à merencória liga,
A ingratidão que esquece e a ingratidão que baba.

Faltava a violação do último sono eterno,
Não para saciar um ódio insaciável,
Insaciável como os círculos do inferno.

E deram-ta; eis-te aí, ó grande invulnerável,
Eis-te ossada sem nome, esparsa e miserável,
Sobre um pouco de chão do ninho teu paterno.

ENTRA CANTANDO, ENTRA CANTANDO, APOLO!

Entra cantando, entra cantando, Apolo!
Entra sem cerimônia, a casa é tua;
Solta versos ao sol, solta-os à lua,
Toca a lira divina, alteia o colo.

Não te embarace esta cabeça nua;
Se não possui as primitivas heras,
Vibra-lhe ainda a intensa vida sua,
E há outonos que valem primaveras.

Aqui verás alegre a casa e a gente,
Os adorados filhos, – terno e brando
Consolo ao coração que os ama e sente.

E ouvirás inda o eco reboando
Do canto dele, que terás presente.
Entra cantando, Apolo, entra cantando.

A CAROLINA

Querida, ao pé do leito derradeiro
Em que descansas dessa longa vida,
Aqui venho e virei, pobre querida,
Trazer-te o coração do companheiro.

Pulsa-lhe aquele afeto verdadeiro
Que, a despeito de toda a humana lida,
Fez a nossa existência apetecida
E num recanto pôs um mundo inteiro.

Trago-te flores, – restos arrancados
Da terra que nos viu passar unidos
E ora mortos nos deixa e separados.

Que eu, se tenho nos olhos malferidos
Pensamentos de vida formulados,
São pensamentos idos e vividos.

BIOBIBLIOGRAFIA

No caso do maior escritor brasileiro do século XIX, mais do que em qualquer outro, parece ocioso o resumo de uma vida que é ao menos medianamente conhecida por qualquer brasileiro leitor, e de uma bibliografia ativa e passiva gigantesca, sendo que, no primeiro caso, de facílima aproximação.

O largo conjunto de biografias, desde a de Alfredo Pujol, em 1917, até os quatro largos volumes de Raimundo Magalhães Júnior – sem esquecer os anteriores –, de 1981, com as primordiais contribuições intermediárias de Lúcia Miguel Pereira, Astrojildo Pereira, Luís Viana Filho, Jean-Michel Massa, Josué Montello etc., parecem encerrar o cerne do trabalho biográfico em torno de Machado, enquanto o bibliográfico ainda teria os seus dois títulos primordiais na *Bibliografia de Machado de Assis*, de J. Galante de Sousa, 1955, e na *Bibliographie descriptive, analytique et critique de Machado de Assis*, de Jean-Michel Massa, uma década posterior. Um interessante depoimento íntimo sobre a maturidade do mestre, ainda que prejudicado pelo excesso de erros de revisão, se encontra no opúsculo *Machado de Assis que eu vi*, de Francisca Basto Cordeiro, publicado pela Livraria São José, do Rio de Janeiro, em 1961.

O enorme material crítico, desde os indefensáveis equívocos de Sílvio Romero e os acertos de José Veríssimo até a atualidade, extrapola totalmente o âmbito desse trabalho.

Quanto às edições, inúmeras e com os mais variados níveis de vulgarização, a mais completa continua sendo a de W. M. Jackson, cuja primeira edição data de 1936, acompanhada de numerosas outras. Segue-se a da Nova Aguilar, em três volumes, organizada por Afrânio Coutinho. A qualidade dos textos resultantes da conhecida comissão para a edição crítica das obras de Machado varia grandemente de título para título, trazendo o das *Poesias completas*, por exemplo, algumas gralhas quase inacreditáveis.

Como primordial contribuição iconográfica, lembramos o catálogo da *Exposição Machado de Assis, centenário de nascimento – 1839-1939*, publicado pelo Ministério da Educação, bem como os oito números da *Revista da Sociedade dos Amigos de Machado de Assis*, publicados de 1958 a 1968.

Joaquim Maria Machado de Assis nasce a 21 de junho de 1839, na Quinta do Livramento, no morro do mesmo nome, no Rio de Janeiro, filho do pardo pintor e dourador Francisco José de Assis e de Maria Leopoldina Machado, portuguesa da Ilha de São Miguel. A proprietária da Quinta, na capela da qual se casaram os pais do futuro escritor, dona Maria José de Mendonça Barroso, e que foi também madrinha do menino, era viúva do brigadeiro e senador do Império Bento Barroso Pereira, falecido dois anos antes.

Ao nascimento do menino, sucedem-se o nascimento de uma irmã doente, em 1841, que vem a falecer em 1845. No mesmo ano, morre a sua madrinha, e em 1849, de tuberculose, a sua mãe.

O pai contrai segundas núpcias com Maria Inês, igualmente parda, que tratará do enteado como uma segunda mãe. Já matriculado na escola pública, trabalha de caixeiro numa papelaria, mas sem vocação. O pai morre em 1851, deixando-o completamente órfão aos doze anos de idade. Reside com a madrasta, Maria Inês, no bairro de São Cristóvão, onde vendem doces para um colégio.

Todos esses primórdios inglórios e humildes foram voluntariamente deixados nas sombras pelo futuro escritor. É aos tateios e através de raros documentos que nos movemos nas obscuras origens de Joaquim Maria, até que este se transforme em Machado de Assis.

Parece ter aprendido o francês na padaria de certa madame Gallot, além de ter sido coroinha da Igreja da Lampadosa. O que se sabe ao certo é que, adolescente, liga-se à Sociedade Petalógica, espécie de tertúlia chefiada por Paula Brito, o grande editor e livreiro do Largo do Rocio, que tão importante papel teve na Literatura Brasileira. No jornal de Paula Brito, a *Marmota Fluminense,* é que a 12 de janeiro de 1855 publica o poema "Ela". As colaborações não pararam por aí, e no ano seguinte o jovem poeta consegue um cargo de tipógrafo na *Imprensa Nacional*, então dirigida por Manuel Antônio de Almeida, autor do então fracassado *Memórias de um sargento de milícias*. A verdade é que é em Paula Brito e em Manuel Antônio de Almeida – até a sua precoce morte no naufrágio do *Hermes* – que o jovem Machado de Assis encontra os seus dois grandes benfeitores e introdutores na vida literária.

Nesses anos, apesar da pouca idade, é já um nome bem relacionado, e colabora fartamente com a imprensa local. Na livraria de Paula Brito conhece Alencar, Casimiro de Abreu, Macedo, Porto Alegre, Salvador de Mendonça, o grande Gonçalves Dias, entre outros. Em 1859 trabalha como revisor no *Correio Mercantil*, por iniciativa de Francisco Otaviano.

Em 1860, ingressa no *Diário do Rio de Janeiro*, de Saldanha Marinho, onde o principal redator é o seu grande amigo Quintino Bocaiúva. Ali resenha os debates do Senado e dedica-se à crítica teatral.

Em 1861, pela tipografia de Paula Brito, publica *Queda que as mulheres têm para os tolos*. Escreve igualmente no *Semana Ilustrada*, no *Futuro* e no *Jornal das Famílias*. Em 1863, ainda muito atraído pelo teatro, vê encenada a sua comédia *Quase ministro*, como, dois anos depois, na Arcádia Fluminense, a peça em versos *Os deuses de casaca*.

Em 1864 realiza a sua verdadeira estreia em livro, com as *Crisálidas*.

Em 1867 conhece, por intermédio do poeta português Faustino Xavier de Novais – de quem prefaciaria as poesias póstumas –, a sua irmã, Carolina de Novais, cinco anos mais velha do que ele, mas com quem se casaria a 12 de novembro de 1869, alguns meses após a morte de Faustino.

No mesmo ano de 1867 recebe a Ordem da Rosa e é nomeado Diretor de Publicação do *Diário Oficial*. Em 1868, participa da correspondência aberta com

José de Alencar, que apresentaria à Corte o grande poeta baiano Castro Alves.

Em seguida ao casamento, habitando a Rua dos Andradas, tem, ao que parece, o primeiro insulto do grande mal epilético que o perseguiria por toda a vida, e que parecia enfim lhe explicar certas "coisas estranhas" que sentira quando criança. A notável postura de Carolina perante a revelação da doença só aproximaria ainda mais o casal pelo resto de suas vidas.

Em 1870, publica *Contos fluminenses* e *Falenas*. Em 1872, *Ressurreição*. Em 1873, *Histórias da meia-noite*. A 31 de dezembro desse ano é nomeado primeiro oficial da Secretaria de Agricultura.

Em 1874 publica *A mão e a luva*, aos quais se seguem, nos anos subsequentes, *Americanas* e *Helena*. Em dezembro de 1876, por decreto da Princesa Imperial, é promovido a chefe de seção na Secretaria de Agricultura. Escrevia, então, uma crônica quinzenal na *Ilustração Brasileira*, e habitava a Rua das Laranjeiras.

Em 1878 publica *Iaiá Garcia*, e passa uma temporada em Nova Friburgo, por causa de uma doença nos olhos. A partir desse momento, plenamente instalado na sua vida burguesa, tem início a segunda e grande fase de sua obra.

Em 1880, na *Revista Brasileira*, inicia a publicação em capítulos das *Memórias póstumas de Brás Cubas*, que sairia em livro no ano seguinte, junto com a peça *Tu, só tu, puro amor*, escrita para as comemorações tricentenárias de Camões. Passa a colaborar na *Gazeta de Notícias*, para onde escreverá até 1897.

Em 1882 publica *Papéis avulsos*, e no ano seguinte muda-se para o célebre chalé do Cosme Velho, onde viverá até sua morte, e que será vergonhosamente demolido em 1940 – em seguida ao centenário de Machado – pelo seu então proprietário, o embaixador Jaime Chermont.

Em 1884 publica *Histórias sem data*. É promovido a diretor da Diretoria de Comércio do Ministério da Agricultura, em 1889, e em 1891 publica *Quincas Borba*.

Publica, em 1896, *Várias histórias*, e no ano seguinte é eleito presidente da recém-fundada Academia Brasileira de Letras.

Passa, em 1898, para secretário do Ministério da Viação, e em 1899 publica *Páginas recolhidas* e *Dom Casmurro*.

Em 1901 saem as *Poesias completas*.

Por ocasião da doença de Carolina volta a Nova Friburgo, em 1904. No mesmo ano publica *Esaú e Jacó*. Carolina morre, a 20 de outubro, de um tumor no intestino. A partir daí se extingue a sua metódica vida no Cosme Velho, com o gamão noturno na casa vizinha dos São Mamede – na capela da qual se casaram – e toda uma rotina doméstica a que se acostumara.

Saem, em 1906, as *Relíquias de casa velha*, com o soneto "A Carolina". Faz, no mesmo ano, o seu testamento, deixando todos os seus bens a uma sobrinha de Carolina e pedindo para ser enterrado ao lado da esposa no Cemitério de São João Batista.

Publica o *Memorial de Aires* em 1908. Em junho, licencia-se para tratamento de saúde. A 1º de agosto comparece à sua última sessão na Academia. Morre, em consequência de uma úlcera cancerosa na língua, motivada por seus constantes ataques, às 3h45 da madrugada de 20 de setembro do mesmo ano, em absoluta lucidez, na casa do Cosme Velho, onde se encontravam José Veríssimo, Mário de Alencar, Raimundo Correia, Coelho Neto, Euclides da Cunha e Rodrigo Otávio, entre outros.

É velado primeiramente na própria casa, e depois no Silogeu Brasileiro, onde funcionava a Academia, sendo enterrado, com grande acompanhamento, no dia seguinte, tendo sido o discurso por parte da Academia pronunciado por Rui Barbosa.

BIBLIOGRAFIA

Crisálidas. Com prefácio do Dr. Caetano Filgueiras. Rio de Janeiro, Livraria de B. L. Garnier, 1864.

Falenas. Rio de Janeiro, Livraria de B. L. Garnier, 1870.

Americanas. Rio de Janeiro, Livraria de B. L. Garnier, 1875.

Poesias completas. Rio de Janeiro/Paris, H. Garnier, Livreiro-Editor, 1901.

Poesias completas (edições críticas das obras de Machado de Assis: *Crisálidas, Falenas, Americanas, Ocidentais*). Rio de Janeiro, INL/Civilização Brasileira, 1976.

Obra completa. Rio de Janeiro, Editora Nova Aguilar, v. III, 1979.

ÍNDICE

Machado poeta 7

Crisálidas

Musa consolatrix 21
Epitáfio do México 23

Falenas

Menina e moça 27
Musa dos olhos verdes 29

Americanas

Potira 33
José Bonifácio 55
A Gonçalves Dias 57
Os semeadores (Século XVI) 63
A flor do embiruçu 65

Lua nova 67
Última jornada 69

Ocidentais

O desfecho 77
Círculo vicioso 78
Uma criatura 79
A Artur de Oliveira, enfermo 81
Mundo interior 84
O corvo 85
Perguntas sem resposta 92
Lindoia 95
Suave mari magno 96
A mosca azul 97
Antônio José 100
Spinoza 101
Gonçalves Crespo 102
Alencar 103
Camões 104
1802-1885 108
José de Anchieta 110
Soneto de Natal 112
A Felício dos Santos 113
Maria 114

A uma senhora que me pediu versos 115
No alto 116

Dispersas

Fascinação 119
Daqui deste âmbito estreito 121
À memória do ator Tasso 123
Naquele eterno azul, onde Coema 124
A derradeira injúria 125
Entra cantando, entra cantando, Apolo! 139
A Carolina 140

Biobibliografia 141
Bibliografia 149

COLEÇÃO MELHORES POEMAS

CASTRO ALVES
Seleção e prefácio de Lêdo Ivo

LÊDO IVO
Seleção e prefácio de Sergio Alves Peixoto

FERREIRA GULLAR
Seleção e prefácio de Alfredo Bosi

MARIO QUINTANA
Seleção e prefácio de Fausto Cunha

CARLOS PENA FILHO
Seleção e prefácio de Edilberto Coutinho

TOMÁS ANTÔNIO GONZAGA
Seleção e prefácio de Alexandre Eulalio

MANUEL BANDEIRA
Seleção e prefácio de Francisco de Assis Barbosa

CECÍLIA MEIRELES
Seleção e prefácio de Maria Fernanda

CARLOS NEJAR
Seleção e prefácio de Léo Gilson Ribeiro

LUÍS DE CAMÕES
Seleção e prefácio de Leodegário A. de Azevedo Filho

GREGÓRIO DE MATOS
Seleção e prefácio de Darcy Damasceno

ÁLVARES DE AZEVEDO
Seleção e prefácio de Antonio Candido

MÁRIO FAUSTINO
Seleção e prefácio de Benedito Nunes

ALPHONSUS DE GUIMARAENS
Seleção e prefácio de Alphonsus de Guimaraens Filho

OLAVO BILAC
Seleção e prefácio de Marisa Lajolo

JOÃO CABRAL DE MELO NETO
Seleção e prefácio de Antonio Carlos Secchin

Fernando Pessoa
Seleção e prefácio de Teresa Rita Lopes

Augusto dos Anjos
Seleção e prefácio de José Paulo Paes

Bocage
Seleção e prefácio de Cleonice Berardinelli

Mário de Andrade
Seleção e prefácio de Gilda de Mello e Souza

Paulo Mendes Campos
Seleção e prefácio de Guilhermino Cesar

Luís Delfino
Seleção e prefácio de Lauro Junkes

Gonçalves Dias
Seleção e prefácio de José Carlos Garbuglio

Haroldo de Campos
Seleção e prefácio de Inês Oseki-Dépré

Gilberto Mendonça Teles
Seleção e prefácio de Luiz Busatto

Guilherme de Almeida
Seleção e prefácio de Carlos Vogt

Jorge de Lima
Seleção e prefácio de Gilberto Mendonça Teles

Casimiro de Abreu
Seleção e prefácio de Rubem Braga

Murilo Mendes
Seleção e prefácio de Luciana Stegagno Picchio

Paulo Leminski
Seleção e prefácio de Fred Góes e Álvaro Marins

Raimundo Correia
Seleção e prefácio de Telenia Hill

Cruz e Sousa
Seleção e prefácio de Flávio Aguiar

Dante Milano
Seleção e prefácio de Ivan Junqueira

José Paulo Paes
Seleção e prefácio de Davi Arrigucci Jr.

Cláudio Manuel da Costa
Seleção e prefácio de Francisco Iglésias

Machado de Assis
Seleção e prefácio de Alexei Bueno

Henriqueta Lisboa
Seleção e prefácio de Fábio Lucas

Augusto Meyer
Seleção e prefácio de Tania Franco Carvalhal

Ribeiro Couto
Seleção e prefácio de José Almino

Raul de Leoni
Seleção e prefácio de Pedro Lyra

Alvarenga Peixoto
Seleção e prefácio de Antonio Arnoni Prado

Cassiano Ricardo
Seleção e prefácio de Luiza Franco Moreira

Bueno de Rivera
Seleção e prefácio de Affonso Romano de Sant'Anna

Ivan Junqueira
Seleção e prefácio de Ricardo Thomé

Cora Coralina
Seleção e prefácio de Darcy França Denófrio

Antero de Quental
Seleção e prefácio de Benjamin Abdalla Junior

Nauro Machado
Seleção e prefácio de Hildeberto Barbosa Filho

Fagundes Varela
Seleção e prefácio de Antonio Carlos Secchin

Cesário Verde
Seleção e prefácio de Leyla Perrone-Moisés

Florbela Espanca
Seleção e prefácio de Zina Bellodi

Vicente de Carvalho
Seleção e prefácio de Cláudio Murilo Leal

Patativa do Assaré
Seleção e prefácio de Cláudio Portella

ALBERTO DA COSTA E SILVA
Seleção e prefácio de André Seffrin

ALBERTO DE OLIVEIRA
Seleção e prefácio de Sânzio de Azevedo

WALMIR AYALA
Seleção e prefácio de Marco Lucchesi

ALPHONSUS DE GUIMARAENS FILHO
Seleção e prefácio de Afonso Henriques Neto

MENOTTI DEL PICCHIA
Seleção e prefácio de Rubens Eduardo Ferreira Frias

ÁLVARO ALVES DE FARIA
Seleção e prefácio de Carlos Felipe Moisés

SOUSÂNDRADE
Seleção e prefácio de Adriano Espínola

LINDOLF BELL
Seleção e prefácio de Péricles Prade

THIAGO DE MELLO
Seleção e prefácio de Marcos Frederico Krüger

ARNALDO ANTUNES
Seleção e prefácio de Noemi Jaffe

ARMANDO FREITAS FILHO
Seleção e prefácio de Heloisa Buarque de Hollanda

LUIZ DE MIRANDA
Seleção e prefácio de Regina Zilbermann

AFFONSO ROMANO DE SANT'ANNA*
Seleção e prefácio de Miguel Sanches Neto

MÁRIO DE SÁ-CARNEIRO*
Seleção e prefácio de Lucila Nogueira

ALMEIDA GARRET*
Seleção e prefácio de Izabel Leal

RUY ESPINHEIRA FILHO*
Seleção e prefácio de Sérgio Martagão

*PRELO

Impressão e Acabamento
Bartira
Gráfica
(011) 4393-2911